SCRÍBHINNÍ BÉALOIDIS

FOLKLORE STUDIES

12

SCÉALTA CHOIS CLADAIGH

dá n-inseacht ag
SEÁN Ó hEINIRÍ
Cill Ghallagáin
Maigh Eo

SÉAMAS Ó CATHÁIN
a bhailigh, a d'aistrigh agus a chuir nótaí leo

Comhairle Bhéaloideas Éireann
An Coláiste Ollscoile
Baile Átha Cliath
1983

STORIES OF SEA AND SHORE

told by
JOHN HENRY
Kilgalligan
Co. Mayo

Collected, translated and annotated by
SÉAMAS Ó CATHÁIN

Comhairle Bhéaloideas Éireann
University College
Dublin
1983

© Comhairle Bhéaloideas Éireann
ISBN 0 906426 14 6

Printed in the Republic of Ireland by
The Dundalgan Press, Dundalk
for the publishers
Comhairle Bhéaloideas Éireann
University College
Belfield
Dublin 4

TILL MAJ

CONTENTS

LIST OF ILLUSTRATIONS

Photographs by author unless otherwise stated.

JOHN HENRY
Photo by JOHN KENNEDY

BUÍOCHAS

Ba mhaith liom buíochas ó chroí a ghabháil le mo sheanchara, Seán Ó hEinirí a d'inis na scéalta seo domh. Fad saoil agus sláinte agat, a John!

Tá mé buíoch de Cheann Roinn Bhéaloideas Éireann, an tOllamh Bo Almqvist, as cead a thabhairt domh an t-ábhar seo uilig idir fhuaim agus scríbhinn a fhoilsiú agus as an chomhairle chaoin eolgaiseach a bhronn sé go, fial orm le linn domh a bheith ag iarraidh na scéalta seo a chur in ord agus in eagar; ní lú ná sin an chomaoin atá curtha ag Comhairle Bhéaloideas Éireann orm as iad a chur ar fáil don phobal ina dhiaidh sin.

Ba liosta le lua iad sin a chuidigh liom ar bhealach amháin nó ar bhealach eile agus mé i mbun an tsaothair seo. Má luaim an Dr. Ríonach Uí Ógáin, Micheál Ó Curraoin, M.Litt., an tOllamh Alan Bliss, an tOllamh Tomás de Bhaldraithe, an tOllamh Séamus Mac Mathúna, Rolf Baumgarten, Leon Ó Corrdhuibh agus Harry Bradshaw go speisialta, tá súil agam nach dtógfaidh mo chairde eile a bhrostaigh chun pinn agus a cheartaigh agus a chomhairligh mé ar an iomad bealach, orm é. Mo bhuíochas chomh maith céanna do Mháire Diolúin agus do Anna Germaine gur thit cuid mhaith de obair chrua na clóscríbhneoireachta orthu.

Ní le duine ar bith acu seo nó le haon duine eile a bhaineann aon locht nó dearmad sa tsaothar seo ina dhiaidh sin ach liom féin amháin.

Séamas Ó Catháin

Lá Fhéile Pádraig 1983

INTRODUCTION

I

Charles R. Browne, writing about Mayo, shortly before the turn of the century, commented that, while ' poor in so many respects, Erris is particularly rich in folk-lore, many old customs, traditions and beliefs which have died out, or are dying elsewhere, still flourishing here. The legends and tales of the past and many old songs are still current, especially among the old people, who, however, will not readily communicate them to strangers, so that only a resident well acquainted with Irish is likely to succeed in collecting much.'[1] That Erris was a veritable treasure house of folklore is a fact that was not lost on the late Séamus Ó Duilearga who, in his capacity as Honorary Director of the former Irish Folklore Commission, constantly strove to have a folklore collector working there. From the early days of the Irish Folklore Commission (founded in 1935) the area has been well serviced by collectors, both native-born Erris people and outsiders, such as Liam Mac Coisdeala and, of course, Ó Duilearga himself.

I am neither an Erris man nor yet a stranger to that part of the world, for I have been visiting this far-flung corner of the county Mayo on and off since 1965. My thanks are due to my fellow Ulsterman, John N. Hamilton, my former colleague at Queen's University, Belfast, for having first introduced me to this forgotten corner of the Connacht *Gaeltacht* and to the beautiful dialect of Irish spoken here. It was Heinrich Wagner, our former teacher, who inspired him to visit this area in the first place and whose encouragement resulted in the eventual publication of Hamilton's ' Phonetic Texts of the Irish of North Mayo ' which is frequently referred to in the notes below.

The shores and islands of the counties of Mayo and Galway were described by Thomas Johnson Westropp in 1918 as being ' perhaps the wildest and least studied section of the wild western coasts of Ireland.'[2] Westropp pioneered the scientific collection and study of

1. *Browne*, 629-30.   2. *Folk-Lore* 29 (1918), 305.

a wide range of folk customs and beliefs all along the western sea-board from Clare to Mayo in a series of important articles published in *Folk-Lore* between 1917 and 1923. He acutely felt the urgency attached to the task he took on himself and, writing in 1918, like Browne, expressed dismay at the lack of local interest shown in this work at the time—' The old beliefs are getting forgotten by the older and despised by the younger people, and much must be lost when the old peasantry die. The work done by me had been better done by dwellers on that wild coast, but few indeed show interest in such a pursuit, and the old Ireland is passing away for ever, more and more speedily.'[3]

Happily, much has been achieved since those days and the manuscript, pictorial and sound archives of the Department of Irish Folklore at University College, Dublin hold collections of Erris folk-lore material of equal importance to those from any other part of Ireland. I can do no more than echo the words of Westropp in his prologue to ' A Study in the Legends of the Connacht Coast, Ireland ' where he wrote: ' Between the vanishing and (what is worse) the corruption of Irish folk-tales in recent years I am anxious to record even such a fragmentary collection as I have been able to make. I am careful to give my doubts and any facts telling against the genuine character of the tales, and can only hope that for the known imperfection and for many possible errors of judgement readers may forgive me whose earnest endeavour has been to give unvarnished versions of these waifs of the past and to avoid that bane of Irish folk-tales, the desire " to make a good story of them all." '[4] It is my privilege to share with reader and listener alike this collection of stories told by John Henry, unvarnished stories that speak for themselves—good stories all.

John Henry and I have shared more than a decade of story-telling in his native Dú Caocháin, an isolated enclave of the half-barony of Erris in the north-western corner of the county Mayo. Here, a few Irish-speaking townlands, principally, Kilgalligan, Stonefield, Carrowtigue and Portacloy, have produced a goodly number of talented narrators over the years. They were more than happy to collaborate with a whole range of folklore collectors, among whom were such dedicated men as Tomás a Búrc of Porta-

3. *Ibid.*   4. *Folk-Lore* 28 (1917), 449.

cloy, Mícheál Ó Sírín of Carrowtigue, Mártán Ó Conghaile of Kilgalligan, Mícheál Ó Corrdhuibh from Rossport and his sons Annraoi and Leon, Pádraig Ó Luinigh of Rossport and Liam Mac Coisdeala, Proinsias de Búrca and Ciarán Bairéad.

John Henry and his friend, the late Peadar Bairéad of Stonefield, were but two of the many gifted narrators of this locality and it was my frequent and fortunate pleasure and privilege to bring the two of them together at storytelling and recording sessions held at various locations in their own district during the past decade. Peadar Bairéad's contribution to what is here presented is a silent or almost silent one, but it is fair to state that before and after many of John Henry's best contributions came some brilliant piece from Peadar which, more often than not, exercised the effect of a challenge, stirring John to dredge up some otherwise forgotten gem of a story from his long memory. It may be said, in that sense, that Peadar Bairéad's stories came not only before and after John's but that they and his storytelling art often lie *behind* the select sample from John's repertoire outlined in these pages and in the recordings presented here. It was a two-way process, of course, for Peadar Bairéad, in turn, drew inspiration from John so that the collector, at times, was forced to take a back seat, simply point the microphone and let them at it. Peadar Bairéad passed away, aged seventy-nine, on Christmas Eve 1980 and both John and I mourn his passing and recall with great fondness the many happy hours we spent together in the cause of folklore. *Go ndéana Dia trócaire ar a anam.*

In all, I have made nearly 200 hours of tape-recordings from John and Peadar. Most of these were made indoors, though, mainly in the course of collecting material for *The Living Landscape*, I have recorded John in the shelter of some turf bank on the Kilgalligan moorland or stretched on the very brink of the stupendous cliffs which skirt his birthplace from Broadhaven into Donegal Bay. Some recordings, especially from the early years of my collecting work, were made in John's home in Kilgalligan where he and his wife, Molly, and indeed, the whole family, always made me and my friends and colleagues more than welcome by their own hearth fire. The never-failing chorus of " *'Sé 'ur mbeatha! 'Sé 'ur mbeatha!* " which met us in the door and the " *Do chéad fáilt'* ", uttered with the first firm hand grip, rings in my ears and warms the heart. No less welcoming were the Connolly family of Stonefield, John's cousins, on whose premises we sometimes partook of a little refreshment before adjourning to begin our recording work in a back room, specially made available to us for this purpose. Our subsequent withdrawal from the pub was often made to a chorus of mock warnings directed at Peadar and John about the dire consequences that would follow from telling too many lies and, by the same token, our re-entry into that convivial company a few hours later would usually be accompanied by such comments as: ' *Á, bó, ní fheicfidh sibh Flaitheas a choích* '!' ' Alas, you'll never see Heaven! '—a public acknowledgement of the fact that the job had been done and that many ' lies ' had been told. Behind the friendly banter of the locals lay a general sympathetic approval of the work that John, Peadar and myself were involved in. It was obvious they were satisfied that their own traditions and lore were in process of being documented.

What is presented here is but a fraction of a very substantial corpus of *seanchas* and *scéalaíocht* recorded from John Henry. His repertoire extends from brief anecdotes to long hero tales such as *Mártán an Bhradáin Ghil* and *Loinnir Mhac Leabhar na Leann*. The following twenty-two items have been chosen because of their excellence as to language and folklore content. They exhibit a number of rare and unusual dialect features and individualisms in John Henry's speech, some of which have been dealt with in the notes to the respective items. Rare and unusual motifs have also been commented upon and references to international tale types and motifs given.

Two further considerations have influenced the choice of material for inclusion here—the desirability of brevity in order to allow for as many items as possible to be included and the quality and clarity of the sound recordings, allowing for the fact that these are field and not studio recordings. Accounts and legends as brief as some of these, while none the less interesting or important for all their brevity, often tend to be ignored at the expense of longer narratives. I am glad to have the opportunity of redressing the balance here.

In many instances, I have made more than one sound recording of items included here. This has been adverted to in the footnotes. Occasionally, mention has also been made of versions recorded from Peadar Bairéad. It was far from easy to strike a balance between the necessity of providing as full a version and as good a telling as possible, on the one hand, and a good sound recording of it, on the other. Extraneous noises, interruptions of one kind or another or minor technical faults in the recording were sometimes judged to be sufficiently irritating and intrusive as to swing the balance in favour of one ' text ' rather than another. Occasionally, exclamations of amazement or murmured words of praise interrupt the proceedings, serving to underline their authenticity and adding considerable atmosphere and flavour to them; the crack and flare of matches struck to redden pipes, of creaking chairs and door hinges and the clicking of camera shutters remain as a source of minor annoyance, but they only intrude occasionally and, by and large, do not interfere with either the enjoyment or the understanding of John Henry's marvellous flow of words.

The recording of multiple versions of one and the same story— even from the same storyteller—is a practice which is universally condoned and encouraged by folklorists, though often questioned by others less aware of the acute necessity for every shred of evidence, down to the last inflexion of meaning, to be at the disposal of people seriously engaged in the study of various kinds of folk narrative. Many, though not all, of the multiple versions listed here below were acquired as a result of John Henry being asked to parade tried and trusted aspects of his repertoire for the benefit of students and other visitors.

The English translations follow the Irish original as closely as possible with regard to meaning, paragraphing and punctuation. Occasionally, sentences have been telescoped and unnecessary repetition of phrases like ' *a deir sé/sí/siad* ' omitted. The words ' *agus* ' and ' *ach* ' when used at the beginning of sentences have frequently been translated ' so ' rather than ' and ' and ' but.' Titles to both the Irish originals and the English translations have been supplied by me.

The principles of the ' normalized ' spelling used in *Síscéalta ó Thír Chonaill* have also been applied here, with special cognizance being taken of so-called ' grammar forms ' such as ' *cluinste* ' (standard *cloiste*), ' pill- ' (standard *fill-*) and ' *a bheas* ' (standard *a bheidh*) and little or no attempt being made to capture the phonological features and peculiarities of this dialect of Irish by employing a system of modified spelling. Thus, for example, adjectives and verbal adjectives such as ' *contráilte* ', ' *cosnochta* ', ' *scuabtha* ' and ' *fágtha* ' invariably pronounced with final long *-i* are always spelt in the standard fashion. The accompanying sound recordings render redundant any efforts to convey the sounds of this dialect by substantially modifying the spelling and unnecessarily disfiguring the text. Metathesis has been indicated in a few instances e.g. *driotháir* for *deartháir;* disyllabic forms have been used in e.g. *uaidhe* (for *uaidh*) and *nighe* (for *ní*) but *trá* has been preferred to *tráigh*, because the storyteller uses both forms and because the rules governing their use are somewhat unclear.

John is always anxious to give value for money, as it were. He often sought assurances after our sessions asking whether what I had recorded was likely to be of use to me and others. ' *An bhfuil aon mhaith san obair sin duit?* ' was his usual modest way of putting it. The question embodied the wish that his material would somehow be of value to someone, somewhere. With the publication of this booklet and cassette, John is now able to reach out to a far wider audience than he or I could ever have imagined at the time these recordings were made. I know that it is his fervent wish, as it is mine, that the enormous value and importance of the tradition, for which John here stands a noble and worthy representative, and the language in which that tradition is enshrined, may not be lost on our readers and listeners.

SCÉALTA CHOIS CLADAIGH

STORIES OF SEA AND SHORE

1.

AN tSLUA SÍ

An gearrán mór le cruithe óir,
Agus a shúil ar dhath na gréine;
Thóig[1] sé a cheann agus tharraing sé srann,
Agus de bhoc, bhí sé scuabtha léithi.

Céard is ciall dó sin?

An tSlua[2] sí! An tSlua sí!

1.

THE FAIRY HOST

The big gelding with his golden shoes,
And his eyes the colour of the sun;
He raised his head and gave a snort,
And in a flash, it had swept him away.

What does that mean?

The Fairy Host! The Fairy Host!

1. Numerous examples illustrating the interchange of palatal/non-palatal consonants (as in *tóg/tóig*) occur throughout these texts. Cf. *Hamilton I*, 347, *Mhac an Fhailigh* §459 (iii).
2. This is here treated as a feminine noun, whereas from Achill, *Stockman* (§§ 1020 and 1084) has it as masculine. From Tory Island, Hamilton (*The Irish of Tory Island*, 323) has it as it is given here—' an tslua sí '.

The *slua sí* or ' fairy host ' was one of the most feared of fairy phenomena and Irish tradition is full of stories of people and animals being ' swept ' (*scuabtha*) or abducted by it. I was told by John Henry that, while grazing, a horse snorts in order to blow ' the good people ' (*na daoine maithe*) out of its way. Cf. *Leabhar Sheáin Í Chonaill*, 434-5 for further references to the fairy host.

Another recording of this verse can be found on Tape 11/2 SÓC.

This recording was made in the home of Thomas Connolly, Stonefield, on 17/3/1976. Duration: 00' 17". Tape 43/2 SÓC (9 cms.p.s).

2.

AINGLE NA dTRÍ SCIATHÁN

Ó, bhail, mhoithigh mé go minic go bhfeicthí iad, go mbíodh siad ina gcineál aingle—na haingle a thugthaí orthu. Agus níl fhios agam ab shin í an fhírinne nó nach í ach bhí sé ráite go bhfeicthí iad ar mhodh ar bith. Agus mhoithigh mé fear amháin ag insean scéal faoi—seanfhear a bhí ann.

D'éirigh sé ar maidin, deireadh oíche—ní raibh aon am an uair sin le fáil, uaireadóir ar bith, ar ndóiche, ní raibh cineál am ar bith ann ach an ghrian agus an ghealach—ach d'éirigh sé deireadh oíche agus cér bith seort uisce broghach a bhí fágtha ag bean an tí i mbuicéad in íochtar an cisteanadh[1] thíos, rug sé ar an mbuicéad uisce bhroghach sin agus d'fhoscail sé an doras agus chaith sé amach ar an gcnoc é.

Agus ar áit na bonn[2] nuair[3] a chaith sé amach an t-uisce ins an doras, d'éirigh an tslua meáin pháistí agus thoisigh siad ag gárthaíl. Chonaic sé ag imeacht iad mar a bheadh cnap míoltóga ón teach agus níl ann ach go ndearna sé aníos é go dtí an leaba[4] san áit a raibh a bhean ina codladh. Agus d'inis sé an scéal daoithi.

' Céard tá ort? ' a dúirt sí.

' Á, bhail,' a dúirt sé, ' tá rud cluinste[5] anocht agam nár mhoithigh mé ariamh.'

' Céard a mhoithigh tú? ' a dúirt sí.

' Chaith mé amach an t-uisce broghach a bhí fágtha thíos sa gcanna agat ó oíche,' a dúirt sé, ' amach ar an gcnoc agus d'éirigh an slua meáin pháistí amach ón doras.'

' Á, maise,' a dúirt sí, ' a amadáin, nach ndéarfá,' a dúirt sí, ' go bhfuil tú sách fada ar an tsaol anois! Nach láidir nár inis do sheanathair nó do sheanmháthair an obair seo duit fad ó shin nuair a bhí tú ag fás suas! Nach bhfuil fhios agat,' a dúirt sí, ' nár cheart duit uisce broghach a chaitheamh amach. Sin iad na páistí a fhaghanns bás gan bhaisteadh[6] atá ag imeacht anois ag feitheamh ar fhuascailt. Sin iad na haingle a dtugann siad aingle na dtrí sciathán orthu.'

' Cén seort aingle iad sin? ' a dúirt sé.

' Bhail, sin iad na páistí,' a dúirt sí, ' an fear a fhaghanns bás gan bhaisteadh.'

' Agus cén seort aingle,' a dúirt sé, ' aingle an dá sciathán ? '

' Sin iad na haingle cearta,' a dúirt sí, ' a bhíonns baistithe agus a fhaghanns bás a théanns thríd thaobh na lámha⁷ nach mbíonn aon pheaca orthu agus a chuirtear go deas cliste ins an teampall. Sin iad aingle an dá sciathán. Ach iad seo a fhaghanns bás agus a théanns ins an gCró Dorcha, tá trí sciatháin orthu agus tá siad ag imeacht ag feitheamh ar fhuascailt i gcónaí gcónaí. Agus ná déan sin,' a dúirt sí, ' arís, a fhear chéile, fhad is bheas tú ar urlár an tí seo.'

Mhoithigh mé an scéal sin go minic.

2.

THE THREE-WINGED ANGELS

Oh, well, I often heard that they would be seen as angels, sort of—angels they were called. But I do not know if that is true or not, though it is said that they were seen anyway. And I heard one man, an old man, telling a story about it.

He got up very early one morning—there were no clocks that time, watches or clocks, or any kind of timekeeping except the sun and the moon—he got up very early in the morning and whatever sort of dirty water the woman of the house had left in a bucket at the lower end of the kitchen, he grabbed the bucket, opened the door and threw it out on the hillside outside.

And the moment he threw the water out the door, a ' middle host ' of children rose up and started shouting. He saw them disappear from the house like a mass of midges and he barely made it back to the bed where his wife was sleeping. And he told her the story.

' What's wrong with you ? ' said she.

' Well,' said he, ' I heard something tonight I never heard before.'

' What did you hear ? ' said she.

' I threw out the dirty water that you left in the can last night,' said he, ' on the hillside outside and the " middle host " of children rose up outside the door.'

'Oh, you fool,' said she, 'wouldn't you think you are long enough in this world now! It's a wonder your grandfather or grandmother never explained this business to you long ago when you were growing up. Don't you know,' said she, 'that it is not right to throw out dirty water. Those are the children that die unbaptized and which are now wandering about waiting for redemption. Those are the angels they call the three-winged angels.'

'What sort of angels are they?' said he.

'Well, those are the children that die unbaptized,' said she.

'And what sort of angels are the two-winged angels?' said he.

'Those are the real angels,' said she, 'the ones who die after baptism, pass through hands unsullied by sin and are buried neat and proper in the graveyard. Those are the two-winged angels. But these ones that die and go to Limbo have three wings on them and they are waiting for redemption, ever and always. Do not do that again, husband, as long as you stand on the floor of this house,' said she.

I often heard that story.

1. It is *an cisteanadh*, rather than *na cisteanadh* as one would expect, that John says here—a mistake, which perhaps, may be attributed to the kind of indecision frequently noted in *Hamilton I* and *II*. For nouns taking this kind of genitive case, cf. *Mhac an Fhailigh* § 513.

2. *Áit na bonn* for *áit na mbonn* has also been noted in *Hamilton II*, 185 and *Mhac an Fhailigh* § 220. It occurs again in Texts 6, 7, 8 and 19.

3. *Nuair* is here and throughout these texts pronounced [ɛr']. The use of *air* for *nuair* is a feature of East Ulster Irish and also occurs sporadically in West Ulster Irish. Cf. *Linguistic Atlas and Survey of Irish Dialects* 4 (Dublin 1969), Appendix 2, by Colm Ó Baoill, Note 1, p. 287.

4. *Leaba* (pronounced with final *-í*) is grouped together with a small number of irregular nouns, treated as heteroclites, in *Mhac an Fhailigh* § 524.

5. *Cluinste*, a form based on the stem *cluin* (*pace Hamilton II*, 210) is pronounced, like all verbal adjectives in this dialect, with a final long *-í*. For forms of the irregular verbs, cf. *Hamilton II*, 206-12 and *Mhac an Fhailigh* § 583-95.

6. For some observations on the rules governing lenition after *gan*, cf. *Mhac an Fhailigh* § 486 (iii).

7. I am not sure that my interpretation of what John says here is correct. The belief that the fairies are angels banished by God from heaven after Lucifer's rebellion is well attested in Irish tradition; 'Ainglí an Uabhair' in *Béaloideas* (Vol. 26 [1958], 26) provides a good example. For further references, cf. *SS*, 373, which also contains, in stories 34-6, p. 102-4, information on

house-water or *uisce na gcos*. Further information on traditions relating to house-water may be found in the notes to Séamus Ó Duilearga's essay ' Nera and the Dead Man ' in *Féilsgríbhinn Eóin Mhic Néill* (Dublin 1940), 532-3. ' *Adhlacadh Leanbhaí* ' by Seán Ó Súilleabháin (*Journal of the Royal Society of Antiquaries of Ireland*, Vol. 69 [1939], 143-51) provides a good introductory survey of the practices associated with the burial of unbaptized infants, a topic also accorded a more comprehensive treatment in *The Death and Burial of Unbaptized Children in Irish Folk Tradition* (unpublished M.A. thesis [1980] in the Department of Irish Folklore, University College, Dublin) by Anne O'Connor. Cf. also Anne O'Connor, ' The Placeless Dead,' *Sinsear*, No. 1, 1979, p. 33-41.

Another recording of this text can be found on Tape 100/1 SÓC (17/11/1979), a transcript of which is contained in IFC MS. Vol. 1931 : 115-6.

This recording was made at my house in Stonefield on 13/5/1978. Duration: 2′ 31″. Tape 79/1 SÓC (9 cms.p.s.).

Kid Island, Kilgalligan and Broadhaven Bay.
Photo: Cambridge University Collection

3.

BEAN A TUGADH AS

Bhí bean i dtinneas clainne thoir i nGreannaí[1] fad ó shin agus bhí sí go dona. Ní raibh aon dochtúir ann an uair sin ach mná glún, an dtuigeann tú. Bhí bean ghlún istigh ann—ba sheo cailleach, ar ndóiche, a raibh cineál láimh aici ar an obair. Ach ní rabhthar ag déanamh aon mhaith.

Ach bhí fear istigh ann ina shuí[2] ar, ar chloich an bhaic, ar ndóiche, agus bhí an bhean a bhí sa leaba le bás—ní raibh aon mhaith le déanamh daoithi.[3] Ach fuair sí bás.

Agus thimpeall is mí ina dhiaidh nó b'fhéidir sé seachtainí, an fear a bhí ina shuí ar chloich an bhaic, bhí sé i mBaile Uí bhFiacháin ag aonach beithíoch[4]—bhí beithíoch le díol aige. Agus go díreach thuas i lár shráid an mhargaidh, shiúil an fear seo chuige agus chroith sé láimh leis.

' Bhail, ní aithním thú,' a dúirt fear Ghreannaí, ' agus tá tú ag croitheadh láimhe liom.'

' Bhail, aithnímse thusa,' a dúirt fear Bhaile Uí bhFiacháin. ' Bhí tú i do shuí sa gclúid thíos i nGreannaí an oíche a fuair do bhean bás. Mise an fear saolta a bhí leis na, daoine uaisle na gcnoc an oíche sin. Agus dá mbeadh vástchóta mhuinchilleach an fhir,' a dúirt fear Bhaile Uí bhFiacháin, ' caite trasna ar chosa na mná an oíche sin, bhí an bhean sin beo ó shin,' a dúirt sé. ' Ach thug an tslua sí leofa í.'

Shin é anois an méid a mhoithigh mise. Sin scéala fíor.

3.

AN ABDUCTED WOMAN

Long ago there was a woman in labour over in Graunny and she was very sick. There were no doctors then, only midwives, do you see. The midwife was there—this was an old woman, of course, who was a dab hand at the work. But they were doing no good.

The husband was sitting there on the hob and the woman in the bed was dying—nothing could be done for her. And she did die.

About a month later, or maybe six weeks, the man who had been sitting on the hob was at a horse fair in Newport—he had a horse for sale. And right in the middle of the market street, this man walked up to him and shook hands with him.

' Well, I don't know you,' said the Graunny man, ' though you are shaking hands with me.'

' Well, I know *you*,' said the Newport man. ' You were sitting in the corner below in Graunny the night your wife died. I was the human man that the noble people of the hills had with them that night. And if the husband's sleeved waistcoat,' said the Newport man, ' had been thrown over the wife's legs that night that woman would still be alive,' said he. ' But the fairy host took her with them.'

That's all I heard. That's true information.

1. *Greannaí* (*anglice* Graunny) is a sub-division of the townland of Corraunboy (O.S. Mayo, 6″ Map, Sheet 4)—also called Cornboy. *Greannaí* is rendered into English as ' Funny ' in a humorous anecdote involving bogus translations of a number of local placenames, cf. *LL*, 81.
2. Original disyllables frequently retain their old ending—thus [si:jə], [N'ji:ə] and [wu:ijə] *inter alia*. Cf. *Mhac an Fhailigh* § 325.
3. Waning vowels (of which there are a good many examples in these texts) are a feature of this dialect. Cf. *Mhac an Fhailigh* § 242 and *Hamilton I*, 348 as well as *de Búrca* § 357.
4. *Beithíoch* means ' a horse '; *capall* and *láir* are both used for ' mare ', *láir* sometimes being taken to mean *capall a mbeadh searrach inti* ' a mare in foal.' Cf. *Hamilton II*, 347, 348, and *Mhac an Fhailigh* § 495 (i). In *Stockman*, 374, it says that *láir* ' is used only when stating the sex of a foal.'

Women in childbed were a favourite target for abduction by the fairies. The husband's waistcoat thrown on the bed was generally believed to guarantee an easy and safe delivery. Stories 11 and 105 in *SS* provide good examples of the engagement of human assistance by the fairies. For a treatment of this theme in Scandinavian tradition, cf. No. 810 ' Brud eller barnsängshustru rövas ' in *Liungman*, IV (Stockholm 1961), 220-4.

This recording was made at the home of Thomas Connolly, Stonefield on 14/3/1977. Duration: 1′ 20″. Tape 57/2 SÓC (9.5 cms.p.s.).

4.

PÁISTE A TUGADH AS

Ba shin páiste a d'imigh i gceo fad ó shin. Bhí sé imithe i gceo agus héiríodh amach dá iarraidh agus caitheadh lá agus oíche dá iarraidh. Agus ins an am céanna bhí an páiste a bhí sa teach— páiste eile, mar a déarfá, b'fhacthas dófa—a tháinig isteach, ba stráinséaraí[1] é. Bhí sé cineál coirpigh agus cointinneach agus ruda mar sin.

Ach fuair siad an páiste a bhí amú sa gceo agus ag tíocht[2] abhaile dófa, dúirt siad an páiste a bhí contráilte go mbruithfeadh siad sa tine[3] é. Ó, bhí ciall aige—bhí sé a naoi nó a deich de bhlianta an páiste sin, ní páiste a bhí ann. Ach dúirt siad go mbruithfeadh siad ar chúl na tine é.

Chuir siad síos tine mhór agus nuair a bhí siad ag gabháil ag fáil greim air, d'imigh sé ina chat amach ar an doras. Ní fhacthas ariamh ó shin é.

Sin an chaoi a mhoithigh mise anois é.

4.

AN ABDUCTED CHILD

That was a child that disappeared in fog long ago. He had disappeared in fog and they started a search and spent a day and a night looking for him. And at the same time, the child that was in the house—another child, as you might say, it seemed to them— that came in, a stranger. He was sort of vicious and cantankerous and so on.

But they found the child that had disappeared in the fog and as they were returning home, they declared they would burn the ' difficult ' child in the fire. Oh, he had reached the age of reason— he was nine or ten years of age, that child—he wasn't really a child. But they said they would burn him at the back of the fire.

They made a huge fire and when they were going to catch hold of him, he disappeared out the door in the shape of a cat. He was never seen again.

That's the way I heard it, now.

1. For singular and plural forms of this word, cf. *Hamilton I*, 349. According to *Mhac an Fhailigh* (§ 522.B(iv)), singular and plural forms of this and a number of other trisyllabic nouns are identical. I have heard the plural form noted in *Hamilton I*, 349 - [sdra:nʃe.rihə]. Cp., however, *páirtithe*, Text 16, p. 48.

2. Both *tíocht* (< *toidheacht*) and *teacht* occur as verbal nouns. Cf. *Hamilton I*, 351 and *Wagner*, 308. For the interchange of palatal and non-palatal consonants, cf. *Mhac an Fhailigh* § 459.

3. For remarks on the declension of nouns like *tine* [t'ʃin'i:] gsg. *tineadh* [t'ʃin'uw], cf. *Mhac an Fhailigh* § 514.

For a full account of changelings and changeling legends in Irish tradition cf. *Símhalartú páistí i mBéaloideas na hÉireann* by Séamas Mac Philib (unpublished M.A. thesis [1980] in the Department of Irish Folklore, University College Dublin). Cf. also, ML 5085 ' The Changeling,' *Christiansen*, p. 109. For a treatment of this theme in Scandinavian tradition, cf. No. 810, ' Bortbyting ' in *Liungman IV*, 227 ff.

Recordings of other versions of this story can be found on Tapes 11/2 SÓC (13/12/1974), 45/1 SÓC (18/3/1976) and 87/2 SÓC (2/4/1979).

This recording was made in the home of Thomas Connolly, Stonefield on 14/3/1977.
Duration: 0' 53". Tape 57/2 SÓC (9.5 cms.p.s.).

Outdoor recording session in Kilgalligan

5.

GEARRCHAILE A TUGADH AS

Fad ó shin—ar ndóiche—bhéifeá a ceathair nó a cúig déag de bhlianta an uair sin nuair a ghabhfadh[1] bróg ort—bhíodh na daoine ag imeacht cosnochta. Ní ghabhfadh aon bhróg ort go mbéifeá in ann a luach a shaothrú go maith. Ach bhí cineál—ba é an dlí[2] a bhí ann an uair sin, bhíodh fataí bruite, ar ndóiche, ar bhoilg an lae agus ba é an bhéile deiridh ag gabháil a chodladh dófa, fataí. Agus chaithfí na cosa . . . an té[3] a bhí ag imeacht cosnochta, an taos óg, chaithfeadh siad na cosa a nighe[4] in uisce na bhfataí. Bhí sé go maith leis na cosa a nighe.

Ach an oíche seo, teach thiar ar an Lag, an áit a raibh na seantithe—bhí mé dá insean cheana duit—bhí teach ansin agus nuair a bhí na fataí ite acu, dúirt lánúin an tí—bhí triúr clainne acu, triúr gearrchaile,[5] agus an ceann ba sine seacht mbliana a bhí sí— dúirt siad, lánúin an tí leis na gearrchailí na cosa a nighe. Ach nuair a chuaigh[6] siad chuig uisce na bhfataí, bhí uisce na bhfataí ruidín beag ró-the leis na cosa a nighe.

' Tabhair leat an sáspán sin thíos,' a dúirt an t-athair leis an ngearrchaile seo ba sine anois—seacht mbliana a bhí sí—' agus tabhair isteach sáspán uisce agus fuaraigh an t-uisce na bhfataí[7] go nighí sibh na cosa.'

Chuaigh sí amach chuig an lochán beag a bhí amach giota ón teach ach níor phill sí ariamh ó shin, an créatúir! Ach nuair a b'fhada leofa a bhí sí amuigh, d'éirigh an cuartú amach agus ní raibh aon dath daoithi le fáil. D'éirigh muintir an bhaile amach nuair a chuaigh an gleo amach go raibh sí imithe.

Ach, lá arna mhárach, shiúil siad na bogaigh i mBaile na Cille[8] agus chuaigh siad amach go barr ailt ag cuartú. Agus tá alt ansin a dtugann siad Gob Leaba Choimín air agus fuair siad an t-an-únfairt déanta thiar ar bharr an ghoib. Agus bhí lorg cosa bó, fuair siad ann, mar a bheadh dhá bhó ag troid.

Ach bhí siad ag faire síos fúfu[9] agus thíos ar an gcarraig chonaic siad an corp thíos ar an gcarraig. Agus d'ísligh siad síos agus thug siad aníos í. Agus, an créatúir, ba í an gearrchailín a bhí ann. Agus bhí sí chomh dubh leis an mbac uile go léir.

Ach cuireadh an créatúir agus sin an méid atá—bhíthear ag leagan amach gur tugtha as a bhí sí.

Sin an méid a mhoithigh mise anois faoi ghnoithe tiomáint ar an gcaoi sin ag an tslua sí.

5.

AN ABDUCTED GIRL

Long ago—of course—you would be fourteen or fifteen years of age before you'd wear a shoe—people went barefoot. You wouldn't wear a shoe until you were well able to earn the price of it. And they had a kind of custom those days of eating boiled potatoes in the middle of the day, of course, and also as a final meal before going to bed.

And feet had to be . . . those who were going about barefoot, young people, would have to wash their feet in the water in which the potatoes had been boiled. That was a good way of washing one's feet.

This night in a house back at *An Lag*, where the old houses used to be, as I told you before, they had eaten a meal of potatoes in a house there and the man and woman of the house told their family— they had three of a family, three girls, the eldest of whom was seven years old—they told the girls to wash their feet. But when they went to the potato water, they found it a fraction too hot for them to wash their feet in.

' Take that saucepan,' said the father to the oldest girl—she was seven years old—' and bring in a saucepan of water to cool the potato water so that you can wash your feet.'

She went out to the pond, a short distance from the house, but, the creature, she never returned! As soon as her absence was noticed, the search began, but no trace of her could be found. The people of the village turned out when the commotion began about her disappearance.

The following day, they walked the bogs of Kilgalligan and they went out along the cliff-tops looking for her. And there is a cliff there called *Gob Leaba Choimín* and they found the ground all churned up there at the edge of the cliff. And they found the track of cows' feet as if two cows had been fighting there.

Down below them as they looked down, they saw a corpse lying on the rocks. And they climbed down and they brought it up. And it was the little girl, the creature. And she was black all over, as black as the hob. And she was buried, the creature, and they made out that she had been spirited away.

That's all I heard, now, of that kind of carry on by the fairy host.

1. *Rachfaidh* is also used—cf. *Hamilton I*, 346, in relation to the use of the future forms *gabhfaidh/rachaidh* without any apparent distinction. For paradigms of this and other irregular verbs, cf. *Hamilton II*, 206-12 and *Mhac an Fhailigh* §§ 583-95.
2. The pronunciation is disyllabic—a fact not conveyed by the spelling used here. Cf. *Mhac an Fhailigh* §§ 359 (v), 366 (ii). Cp. *Wagner (G.Th.)* §§ 116, 197 and *Stockman* §§ 586, 680, where similar forms are recorded.
3. An té > an cé [ə k'e:] is among a number of consonant changes noted by *Mhac an Fhailigh* § 465. Like the opposite development [k'] < [t'ʃ] (e.g. with *céard*), it is of frequent occurrence in these texts.
4. Cf. Note 2, Text 3, p. 7.
5. For a discussion of various singular and plural forms of this word, cf. *Mhac an Fhailigh* § 527 and *Hamilton II*, 222. This word is sporadically subject to metathesis. Cf. *Mhac an Fhailigh* § 480.
6. The pronunciation of *chuaigh* and *fuair* is identical. The background to this confusion is explained in *Hamilton I*, 346. Cf. also Note 5, Text 2, p. 4.
7. For examples of the double article and its usage, cf. Séamus Ó Searcaigh, ' Some uses and omissions of the article in Irish ' *The Journal of Celtic Studies*, 1 (1950), 239-48. Cf. also *sub ' in'*, *Contributions to a Dictionary of the Irish Language*, I, Fasciculus 2, p. 188.
8. Cf. Note 3, Text 4, p. 9.
9. Cf. Note 3, Text 3, p. 7.

For another version of this story (in English), cf. *LL*. 119-20.

This recording was made at the home of Thomas Connolly, Stonefield on 24/9/1976. Duration: 2' 25". Tape 52/1 SÓC (9.5 cms.p.s.).

6.

AN DÍLLEACHTA AGUS AN tSÍOFRÓG

Bhí, fad o shin, bhí dílleachta[1] beag thiar, an Tír Thiar,[2] taobh thiar de Bhéal an Mhuirthead. Bhí sí istigh ag a máthair mhór. Agus, ar ndóiche, an áit a bhfuil dílleachta mar sin, nuair a bheas sé, an dílleachta bocht fásta suas, bíonn cineál sclábhaíocht bheag oibre le déanamh aige thar dhuine eile.

Ach bhí an dílleachta bocht seo, bhíodh sí saigheadaithe amach gach uile lá le ba, ag faire ba síos ar an dumhaigh, dumhaigh a dtugann siad Dumhaigh Eilí air. Ach bhíodh sí síos ar an dumhaigh gach uile lá ag faire na mbó.

Ach an lá se, bhí sí thíos, tháinig buachaill óg chuici[3] agus, bhail, bhí an cailín, b'fhéidir go raibh sí ceithre bliana déag nó cúig bliana déag d'aois. Ach bhí an buachaill óg ag caint léithi giota maith ach d'imigh sé ar deireadh. Ach, *by* gearrachaí, nuair a tháinig sí abhaile san oíche chuig a máthair mhór—tá fhios agat, bhí a máthair agus a hathair curtha, ba dílleachta a bhí inti—d'fhiafraigh an mháthair mhór daoithi:

' Cén seort gábh a raibh tú ann inniu,' a deir sí, ' tá tú ag amharc an-mhíshuaite? ' a deir sí. ' Ní thaitníonn tú liom.'

' Ní raibh mé i ngábh ar bith,' a deir sí.

' Má, bhail, bhí rud éigin ort—b'fhéidir gur iomarca siúil nó *route*áil a rinne tú,' a dúirt an mháthair mhór léithi.

' Ní hea,' a deir sí.

Lá arna mhárach, cuireadh leis na ba arís í, síos go Dumhaigh Eilí ach nuair a bhí sí thíos ina suí, an créatúir, ag na ba, tháinig an buachaill óg chuici arís agus bhí sé ag caint léithi.

' Bhail,' a deir sé léithi, ' an gcíorfá mo chloigeann dom? ' a dúirt sé.

' Cíorfaidh,' a dúirt sí.

Ní raibh aon chiall aici. Bhí ráca ina phóca leis agus chíor sí a chloigeann. Agus bhí sé ansin ag caint léithi scathamh. Agus d'imigh sé. Ach nuair a tháinig sí abhaile:

' Bhail,' a dúirt an mháthair mhór léithi, ' tá rud éigin as bealach leat,' a deir sí, ' ní thaitníonn tú liom ar chor ar bith, tá drochdhath ort. Céard tá ort ar chor ar bith? '

C

' Níl rud ar bith orm,' a dúirt an gearrchailín. ' Ní aithním dada, ní fheicimse, ní mhoithím rud ar bith,' a deir sí.

' Bhail, bíonn tú ag déanamh an-*route*áil,' a dúirt sí, ' nó ag déanamh an-súgradh thíos ar an dumhaigh nó an mbíonn éinne agat?'

' Ní bhíonn,' a deir sí.

Ach ba é cic an scéil é, chuaigh sí síos an tríú lá leis na ba agus tháinig an buachaill óg chuici arís agus shuigh sé lena taobh.

' Bhail,' a deir sé, ' breathnaigh mo chloigeann,' a deir sé, ' agus cuir mo ghruaig dá chéile agus *shet*áil mo ghruaig dom,' a deir sé.

Agus rinne an créatúir sin, ar ndóiche; bhí sí díchéillí an uair sin. Tháinig sí abhaile san oíche agus na ba léithi.

' Bhail,' a deir an mháthair mhór léithi, ' tá rud éigin ort,' a dúirt sí—bhí an gearrchaile ag cailleadh agus ag éirí míshuaite agus í bán go maith faoina haghaidh.

' Bhail,' a deir sí, ' a *ghranny*,' a deir sí, ' tá fear óg ag tíocht chugam le trí lá,' a dúirt sí.

Agus d'inis an bhean óg dó[4] gach aon tseort.

' Feicim anois,' a deir an mháthair mhór, ' Bhail, anois,' a dúirt an mháthair mhór, ' nuair a ghabhfas tú síos amárach, nuair a thiocfas sé chugat, abair leis an bhfear,' a dúirt sí, ' go bhfuil gamhain tinn ag do mháthair mhór ins an teach agus cén leigheas atá air lena choinneál[5] beo.'

' Maith go leor,' a dúirt sí.

Bhí go maith agus ní raibh go dona. An ceathrú lá, chuaigh an cailín óg síos—bhí sí ina gearrchailín óg, ar ndóiche, idir cúig bliana déag agus sé bliana déag—chuaigh sí síos leis na ba agus tháinig an fear óg chuici agus shuigh sé ag a taobh. Ach sular dhúirt sé dada, dúirt an bhean óg leis go raibh gamhain óg ag a máthair mhór agus go raibh sé go dona, *slack*áilte go maith agus go raibh sé mórán an bás air.

' Bhail, anois,' a deir an fear óg, ' leis an ngamhain a choinneál beo, abair le do mháthair mhór nuair a ghabhfas tú abhaile anocht, abair léithi mún bréan, cacanna cearc, scian na coise duibhe agus an tseanúir[6] a dhó agus a shuathadh fud a chéile agus a chroitheadh ar an ngamhain agus gnóthóidh[7] sé.'

' Maith go leor,' a dúirt an bhean óg.

Ach scathamh ina dhiaidh, d'imigh an buachaill óg uaithi agus tháinig an bhean óg abhaile.

'Bhail,' a dúirt an mháthair mhór léithi, ' an dtáinig an fear óg inniu chugat?'

'Tháinig,' a dúirt an cailín.

'Bhail,' a deir sí, ' ar dhúirt tú an chaint sin leis?'

'Dúras,'[8] a dúirt an cailín óg.

'Bhail, cén leigheas a thug sé duit ar an ngamhain?' a dúirt sí.

'Bhail, a dúirt sé leat cacanna cearc a dhéanamh suas, mún bréan agus uisce coisreac, scian na coise duibhe a mheascadh ann agus é sin a chroitheadh ar an ngamhain.'

'Maith go leor,' a dúirt sí.

Ní dhearna an chailleach—bhí pota múin bhréin istigh aici le haghaidh tuaradh bréidín, ba shin leigheas a bhí fad ó shin ann le haghaidh bréidín—ach rinne sí suas cacanna cearc, an mún bréan, an tseanúir a dhó agus a mheascadh fud a chéile agus an t-uisce coisreac agus chuir sí i mbuidéal dó[9] é.

'Anois,' a dúirt sí leis an mnaoi óig,[10] ' nuair a ghabhfas tú síos amárach leis na ba, nuair a thiocfas an fear óg seo chugat, ar áit na bonn a suífidh sé agat, croith braon de seo air go bhfeicfidh tú céard a dhéanfaidh sé.'

Thug an bhean óg an buidéal ina póca léithi agus an béiléiste sin déanta suas ann. Ach nuair a shuigh an buachaill óg ag a taobh mar i gcónaí, ní dhearna sí ach an buidéal a tharraingt amach as a póca agus a chroitheadh ar an mbuachaill óg.

D'éirigh sé in aon bhall tine amháin agus d'imigh sé leis ar fud na farraige móire.[11] Tháinig an bhean óg abhaile agus d'inis sí an scéal don mháthair mhór.

'Anois,' a dúirt sí, ' tá do leigheas déanta. Beidh tú i do chailín mhaith go fóill.'

Sin é mo scéal.

Peadar Bairéad: Maith thú, maith thú, maith thú![12]

6.

THE ORPHAN GIRL AND THE FAIRY BOY

Long ago, there was a little orphan child back west of Belmullet who was living with her grandmother. And, of course, where there's an orphan like that, when she grows up, there's always some extra work for her more than any other child.

This poor orphan was sent out every day to mind the cows down on the sand-hills, a place they call Elly Dunes. And she used to be down there on the sand-hills every day, minding the cows.

When she was down there one day, a young boy appeared to her—the girl was, maybe, fourteen or fifteen years of age. And the boy spent a good while talking to her and finally he departed. By *gearrachaí*, when she came home to her grandmother that night—her mother and father were dead and buried, you see, she was an orphan—her grandmother said to her:

' What kind of a tight corner were you in today,' says she, ' you look very upset? I don't like the look of you.'

' I was in no tight corner at all,' says she.

' Well, something happened to you—perhaps you did too much walking or marching about,' said the grandmother to her.

' I did not,' said she.

Next day, she was sent off with the cows again, down to Elly Dunes and, the creature, while she was there, sitting there with the cows, the young boy appeared to her again and he had a chat with her.

' Would you comb my hair? ' he asked her.

' I will,' said she.

She had no sense. He had a comb in his pocket and she combed his hair. And he spent a while there chatting to her and then off he went. When she came home:

' Well,' said her grandmother, ' there's something odd about you. I don't like the look of you at all, you're a bad colour. What's up with you anyway? '

' There's nothing wrong with me,' said the little girl. ' I see or hear or notice nothing at all,' says she.

' Well, you're parading around a lot,' said she, ' or playing about on the sands, or does there be anyone with you? '

' No,' says she.

The end of the story was that she went down with the cows the third day and the young boy appeared to her again and sat down beside her.

' Well,' says he, ' examine my head and untangle my hair and re-arrange it for me,' says he.

And the creature did that, of course; she had little sense that time. She came home that night with the cows.

' Well,' her grandmother said to her, ' there's something wrong with you '—the girl's health was failing and she was unsettled looking and pale about the face.

' Well, Granny,' said she, ' a young man has been appearing to me these last three days '—and the young woman revealed everything.

' I see, now,' says the grandmother. ' Well, now,' says she, when you go down tomorrow and when the man comes to you, tell him,' said she, ' that your grandmother has a sick calf at home and ask him if there is any cure that will keep it alive.'

' Fair enough,' said she.

Well and good. On the fourth day, the girl went down with the cows—she was a young girl of between fifteen and sixteen years of age—she went down with the cows and the young man appeared to her and sat beside her. Before he could say a word, the young woman told him about her grandmother's young calf, that it was very sick and listless and more or less dying.

' Well, now,' said the young man, ' tell your grandmother when you go home tonight that in order to keep the calf alive she should roast and mix together stale urine, hen dung, a black-hafted knife and last year's ' palm ' branch and shake it on the calf and it will get better.'

' Fair enough,' said the young woman.

Shortly afterwards, the young boy left her and the young woman made her way home.

' Well,' said her grandmother, ' did the young man appear to you today? '

' He did,' said the girl.

' Well,' says she, ' did you say that thing to him? '

' I did,' said the young girl.

' Well, what cure did he give you for the calf? ' said she.

' Well, he said you were to make a mixture of hen dung, stale urine and holy water and stir it with a black-hafted knife and shake it on the calf.'

' Fair enough,' said she.

The old woman just—she had a pot of stale urine in the house for bleaching cloth, that's a treatment they had long ago for cloth—and she made up the roasted mixture of hen dung, stale urine, last year's ' palm ' branch and the holy water and she bottled it.

' Now,' said she to the young woman, ' when you go down tomorrow and as soon as the young man appears and sits beside you, shake a drop of this on him and see what he does.'

The young woman took the bottle containing the potion with her in her pocket. When the young boy sat down beside her as before, she just pulled the bottle out of her pocket and shook it on him.

He rose up in a single ball of fire and disappeared off into the ocean. The young woman came home and told her story to her grandmother.

' Now,' said she, ' you are cured and you'll be a fine girl yet.' That's my story.

Peadar Bairéad: Good for you, good for you, good for you!

1. Cf. Note 1, Text 4, p. 9.
2. The name applied by natives of *Dú Caocháin* (cf. p. xii) to the Mullet Peninsula. It is also known as *taobh istigh 'on Mhuirthead* (' is inside Mullet ' in the English of Erris). Natives of ' *An Tír Thiar* ' call *Dú Caocháin* ' *Na Sléibhte* '.
3. *(Ch)uige* and *aige* and the various other persons of those prepositional pronouns are indistinguishable. Cf. *Hamilton I*, 346.
4. The speaker ought to have said *daoithi* ' to her ' rather than *dó* ' to him '.
5. Verbal nouns such as *coinneáil* and *feiceáil* are pronounced with non-palatal *-l* viz. *coinneál* and *feiceál* (cp. [t′ʃïg′v′aːl′] Text 7, p. 20 and [k′r′ɛd′ʒv′aːl′] Text 8, p. 25. Cf. *Mhac an Fhailigh* § 460 (iii). *Hamilton II*, 211, gives [f′ɛk′al′] while Stockman has both *feiceáil* (421) and *coinneáil* (405).
6. *Iúr* means ' yew ', but is here accorded the colloquial interpretation ' palm '. *Seaniúr* is the ' palm ' branch preserved from the previous Palm Sunday and commonly displayed in Irish homes.
7. One of a small number of words in which [-j-] intervenes between the stem vowel and the suffix [-iː]. Cf. *Mhac an Fhailigh* § 598.
8. A form, the existence of which conflicts with the observation in *Hamilton I*, 215 that the substantive verb is the only one to have the *-s* ending in the Past Tense, 1st Person.
9. The speaker ought to have said *daoithi* ' to her ' rather than *dó* ' to him '. Cf. Note 4 above.
10. Full declension of noun and adjective, as in this instance, is one of the many conservative features of this dialect.
11. Cf. *Hamilton II*, 206, 212 and *Mhac an Fhailigh* § 514.C (ii) for remarks on genitive singular and other forms of *farraige*. In contrast to *Mhac an Fhailigh*'s /ə m′eːl Nə farig′ə moːr′ə/, § 514.C (ii), this speaker says [ə m′eːl Nə farïg′u moː r′ə].
12. For Peadar Bairéad, cf. p. xiii.

This story—the longest in this collection—is a version of ML **6000** *Tricking the Fairy Suitor*. Five other versions of this legend type are known to me—one of them also told by John Henry on Tape 102/1 SÓC (17.11.1979). Another Mayo version written down by Michael Corduff (for whom see *LL*, 5) in 1943, is contained in IFC MS. Vol. 1243: 495-9. Corduff's version is an English re-telling of a story which he heard told in Irish by Seán Rowley of Rossport. Liam Mac Coisdeala, an experienced folklore collector in Galway and Mayo, said that Rowley (Seán Ó Roithleáin) was the best storyteller he met in Erris and he ranked him almost on a par with the famous Éamonn a' Búrc in Conamara (*Béaloideas* 16 [1946], 169). The remaining three versions are from Munster: one taken down in English in Kilworth, Co. Cork, another Cork version, taken down in Irish in Ballyvourney and the third taken down in English in Brosna, Co. Kerry. All three Munster versions lack the ' fairy suitor ' motif and it is a woman, variously described as a ' witch ' or ' a woman from the fort ' (*bean an leasa*), rather than a fairy man who tries to lure away the young girl.

The constituent elements of the concoction used to banish the fairy suitor are well known in Mayo folklore (cf. *LL*, 272-3). The second recording of this story from John Henry has the fairy suitor combing the girl's hair while the Corduff version has them combing each other's hair.

For a treatment of this legend type and its distribution within Scandinavia, cf. ' *Tibastsägnen* in Gunnar Granberg's ' *Skogsrået i yngre nordisk folktradition* (Skrifter utgivna av Gustaf Adolfs Akademien för folklivsforskning, 3, Uppsala 1935), 183-98. Cf. also No. 505 ' Tibast och vändelrot eller hur man blir kvitt ett efterhängset skogsväsen ' in *Liungman* 2, 250-7

This recording was made at my house in Stonefield on 29/10/1978. Duration: 5' 53".
Tape 74/1 SÓC (9 cms.p.s.).

Collecting placenames on the cliffs of Kilgalligan.

7.

' TUGAÍ DOMHSA É! '

Mhoithigh mé m'athair mór ag insean, go ndéana Dia grásta air, fad ó shin, bhí fear i gCeathrú na gCloch, 'sé an t-ainm a bhí air Tomás Mór. Agus ba fear cineál aimhleasach é, mar a déarfá; ní thabharfadh sé isteach i ngnoithe slua sí nó i ngnoithe Dhia nó Mhuire, bhí sé ag oibriú ar a bhealach féin.

Ach an uair sin, bhíthí ar siúl le gnoithe leathaigh i gCladach na Rinne Ruaidhe, ar ndóiche. Ba ann a chaitheadh na créatúir oíche agus lá ag iarraidh bheith ag tiomsú leas fataí agus ruda.

Ach an lá seo, bhí páiste le bás i gCeathrú na gCloch ach má bhí féin, d'imigh Tomás Mór tráthnóna[1] leathmhall siar go Cladach an Phoirt ar thóir leathaigh agus thiomsaigh sé ar mhodh ar bith— bhí sé ag tiomsú leis siar i mBearna an Leathaigh go ndeacha sé go dtí an Staca Liath go ndearna sé obair lae de leathach le haghaidh an asail—asail a bhí an uair sin ag imeacht ag gach[2] uile fhear.

Ach nuair a bhí sin déanta aige, dúirt sé go siúlfadh sé leis soir go dtéadh sé go dtí Tóin an Chorráin Bhuí go bhfeiceadh sé an bhfaigheadh sé píosa adhmaid nó rud ar bith isteach ar an trá. Ach ní bhfuair, sílim, ach ag gabháil anoir ag Fáilín an Ghairtéil dó, mhoithigh sé an páiste ag caoineadh. Agus sheas sé agus chuir sé cluas air féin. Agus mhoithigh sé na mná ag caint:

' Tabhair domsa é,' a d'abraíodh bean acu.

' Ní thabharfaidh,' a d'abraíodh bean eile acu, ' ach tabhair domhsa é.'

' Ní hea,' arsa Tomás—labhair sé—' ach tugaí[3] domhsa é,' a dúirt sé.

Ó, bhail, an uair sin, mhoithigh sé an an-chlabhas[4] ach sháraigh air a dtuigbheáil[5] ach gur thuig sé focal amháin. Dúirt bean acu leis an mnaoi eile:

' Rug bean ar a bpáiste seo a raibh lorg an uisce coisreac ar a méara,' a dúirt sí, ' agus ní thig linn dada a dhéanamh. Caithfidh muid a thabhairt don bhfear a labhair.'

Ach thug siad an páiste do Thomás. Thug Tomás an páiste leis idir a dhá láimh agus níor stop go dtáinig go Ceathrú na gCloch go dtí an teach a raibh an páiste tinn ann. Agus ins an am céanna, bhí an páiste os cionn cláir[5] agus é nite acu, brón mór ar mhuintir an tí agus gach[6] aon tseort.

Ach shiúil Tomás isteach agus an páiste leis idir a dhá láimh agus í . . . an páiste beo beathamach ag gárthaíl agus ag iarraidh a bheith ag caint, ar ndóiche. Ní raibh sé—an páiste—ach bliain. Ach ar áit na bonn nuair a shiúil Tomás isteach, d'éirigh an páiste a bhí ar an gclár amach agus d'imigh sé ina cheo agus ní fhaca éinne ag imeacht é.

Bhail, bhí go maith ansin. Leag Tomás an páiste thuas ins an gclúid acu.

' Anois,' a dúirt Tomás, ' seo é bhur bpáiste beo slán arís,' a dúirt sé.

' Maith go leor,' a dúirt siad.

Ach chuaigh siad chuig an tsagart. Agus bhí sagart thall ar na hAchadh[7] a dtugadh siad an sagart dubh air. Ach tháinig an sagart dubh anall agus chuaigh sé ag léitheoireacht os cionn an pháiste a thug Tomás beo leis.

' Anois,' a dúirt an sagart, ' seo é an páiste ceart. Ní raibh fágtha agaibh,' a dúirt sé, ' ach píosa de chrompán giúsaigh,' a dúirt sé. ' Agus fhad agus bheas sibh beo,' a dúirt sé, ' coinnigí uisce coisreac croite ar bhur gcuid páistí agus,' a dúirt an sagart, ' nuair a chuirfeas sibh an naíonán a chodladh ins an gcliabhán, cuirigí sméaróid siar faoin bpiolúir agus ní féidir le dada a ghabháil ina ghaobhar.'

Ach ó sin amach, táthar ag cur sméaróidí ó shin agus i gcónaí— feicim féin an obair i gcónaí—nuair a leagthar leanbh beag isteach ins an gcliabhán, cuirfidhear[8] sméaróid siar faoin bpiolúir. Agus leagfaidhear brat eile os a chionn a dtugann siad an Brat Bríde air. Sin brat a chuirtear amach Oíche Fhéil' Bríde agus deir siad go bhfuil leigheas ann. Agus ó shin amach, ní fheicim éinne ag imeacht go fánach nó go dona.

7.

' GIVE IT TO ME! '

Long ago, I heard my father, God rest him, say that there was a man in Stonefield called Big Thomas. He was a kind of misguided person, as you might say; he wouldn't give in to the workings of the fairy host, or God or Mary—he was a loner.

At this time, they used to be collecting seaweed on the shore at Rinroe, of course. That's where the creatures would be, night and day, gathering manure for potatoes and such like.

This particular day, there was a child dying in Stonefield, but even so Big Thomas went back to *Cladach an Phoirt* for seaweed, kind of late in the evening, and he gathered, he was collecting away anyway from *Bearnaí an Leathaigh* to *An Staca Liath* until eventually he had a day's work done and an ass-load of seaweed accumulated— it was asses that every man had that time.

When he had done that, he said that he would walk over to *Tóin an Chorráin Bhuí* to see if he might find a bit of timber or the like on the beach. Well, I don't think he did, but coming back by *Fáilín an Ghairtéil*, he heard a child crying. And he halted and cocked an ear. And he heard women talking:

' Give it to me,' one of them would say.

' No,' another would say, ' but give it to me.'

' Not at all,' said Thomas—he spoke up—' but let me have it! ' said he.

Ah, well, then he heard a terrible commotion but he was quite unable to make any sense of it, except for one bit. One woman said to the other:

' Some woman with the track of holy water on her fingers has held this child,' said she, ' and there's nothing we can do about it. We'll have to hand it over to the man who spoke.'

They gave the child to Thomas and he took the child with him in his arms and made no delay until he landed at the house in Stonefield where the child was lying ill. And by that time, the child had been washed and laid out and the people of the house were in mourning and all.

Thomas walked in with the child in his arms, alive and well, the child laughing and trying to talk, though it was only a year old, But just as soon as Thomas walked in, the child that was laid out rose up and disappeared in a mist and no one saw it going.

Well and good. Thomas placed the child up in the corner.

' Now,' said Thomas, ' here's your child back safe and sound.'

' Fair enough,' said they.

They went to the priest, and there was a priest in Aughoose they called the black priest. The black priest came and began reading over the child that Thomas had rescued.

' Now,' said the priest, ' this is the real child. All you had been left was an old stump of bog deal,' said he. ' And as long as you live,' said he, ' always shake holy water on your children. And when you lay down an infant to sleep in the cradle, place an ember under the pillow and nothing can go near him.'

Ever after, embers have been placed and are still placed under the pillow in the cradle when a little child is laid in it. And a cloth they call *Brat Bríde* (Brigid's Cloak) is laid over it. That's a piece of cloth that has been left outside on St. Brigid's Night and they say there's a cure in it. And ever since that, I don't see anyone disappearing one way or another.

1. Cf. *Hamilton I*, 346, 347 and *Mhac an Fhailigh* §§ 167, 269, 285 for a discussion of this word and its pronunciation.
2. Here, as elsewhere in these texts, the *g* is elided before *aon* and *uile*. Cf. *Mhac an Fhailigh* § 348.
3. Cf. *Mhac an Fhailigh* § 594.
4. Cp. ' *an t-an-únfairt*,' Text 5, p. 10.
5. Translated literally ' overboard ' in the English of Erris.
6. Cf. Note 2, above.
7. *Anglice* Aghoose (O.S. Mayo, 6″, Sheet 11). ' *Ar na hAchadh* ' and ' *Paróiste na nAchadh* ' are the commonest forms heard.
8. *Cuirfidhear* (and *leagfaidhear* which occurs in the next sentence) have the future passive forms usual in this dialect. Cf. *Hamilton II*, 203, 215.

This story gives another twist to the familiar ' changeling ' theme (cp. Text 3 above). The superfluous remarks on the activities of the black (-haired) priest give John an opportunity to describe various popular protective measures against fairy interference. The existence of printed versions from Kerry (*Béaloideas* 1 [1928], 264-5), Galway (*Béaloideas* 24 [1955], 55-6) and Donegal (*Béaloideas* 23 [1954], 155) show this story, by contrast with the previous one, to have had a wide distribution within Irish-speaking districts from West Kerry to Tory Island. For *Brat Bríde* (' Brigid's Cloak '), cf. Seán C. Ó Súilleabháin, *Lá Fhéile Bríde* (Baile Átha Cliath 1977), 13-4.

Another version of this story can be found on Tape 57/2 SÓC (14.3.1977). *This recording was made in the home of Thomas Connolly, Stonefield on 16.3.1976. Duration: 3' 47″. Tape 43/1 SÓC (9.5 cms. p.s.).*

8.

AN BHÓ DHROIMFHIONN - BÓ A TUGADH AS

Ní hí an bhó amháin í a tugadh as ach tugadh an bhó seo as ar mhodh ar bith. Ag m'athair a bhí an bhó sin fad ó shin nuair a bhí sé ag fás suas ina bhuachaill óg, é féin agus a bheirt driotháireacha. 'Sé an áit a raibh siad ina gcónaí, áit a dtugann siad An Lag air, thiar ar an Lag. Ach bhí naoi nó deich de bha acu, ar ndóiche, bhí ba saor an uair sin, ní bhfaighfeá iomarca[1] orthu.

Cé bith é, mí an Aibreáin go díreach rug an bhó seo. Ba bó bhreac a bhí inti—' an bhó dhroimfhionn ' a thugadh siad uirthi. Ach bhí sí le riocht gamhna ach rug sí ar mhodh ar bith, mar a dúirt an fear eile, mí an Aibreáin.

Agus go díreach, trí lá a bhí sí beirthe, b'éigean dófa a ligean amach. Bhí siad gearr in agard agus scaoileadh amach í leis na ba eile agus 'sé an áit a mbíodh siad i gcónaí acu ar féarach, ar ndóiche, amach ó Chúl Scraith na bhFiodán.

Ach an lá seo, ba é an tríú[2] lá a bhí an bhó beirthe—ní raibh sí i bhfad beirthe ach na trí lá—bhí sí amuigh agus tháinig folc sneachta agus fuair sí fuacht agus cailleadh amuigh ar áit na bonn í ar Chúl Scraith na bhFiodán. Ach nuair a chuaigh m'athair amach tráthnóna ar fháirnéis[3] na mbó, fuair sé an bhó dhromfhionn caillte. Agus bhí bláth beag feola chomh maith[4] uirthi agus, ar ndóiche, bhí siad santach[5] ag feoil an uair sin ach ní raibh aon airgead leis an bhfeoil a cheannacht. Ach tháinig sé abhaile leis na ba eile agus an bhó dhroimfhionn amuigh.

' Bhail,' dúirt fear de na driotháireacha, ' gabhfaidh muid amach agus feannfaidh muid í,' a dúirt sé, ' agus saillfidh muid í agus bain-fidh muid, ar ndóiche—is fhearr rud ar bith ná a caitheamh, a fágáil ag na madaidh.'

Ach chuaigh siad amach ar mhodh ar bith ar shiúl oíche agus thug siad—bhí cúnamh fear leofa, tilleadh daoine leofa. Bhí comharsanna maithe ar an mbaile an uair sin. Ach tharraing siad an bhó isteach an bealach i gcónaí ar fud an bhealaigh nó go dtug siad go dtí an teach í. Feannadh an bhó agus réitíodh í agus chuir siad i stanna í le neart salainn uirthi.

Ach go díreach an lá céanna a cailleadh í, bhí páirtí[6] i bPort an Chlóidh a dtugadh siad ' mná Mháire Ruadaí ' orthu agus chonaic siad—bhí aithne[7] mhaith acu ar an mboin,[8] bhíodh siad go síoraí abhus i mBaile na Cille ar a gcuairt agus bhí aithne acu ar bha m'athara,[9] mar a dúirt an fear eile. Ach chonaic siad an bhó dhroimfhionn ag gabháil amach tráthnóna i bhfiáin agus í ag uabhar agus níor stop sí, a dúirt siad, go ndeacha sí le halt ar Bharr Rinn Phort an Chlóidh.

Bhail, sin an méid a bhí sa méid sin ach bhí an bhó saillte ar mhodh ar bith ag mo mhuintir ins an teach agus bruitheadh an oíche seo í. Agus sháraigh orthu aon dath daoithi a ithe—bhí a cuid feola chomh righin le giúsach.

' Á, bhail,' a dúirt fear acu, ' caithfidh muid amach í.'

' Ní chaithfidh,' a dúirt an fear eile, ' tugaí tilleadh bruith daoithí—b'fhéidir nach bhfuil sí sách bruite.'

Ach go díreach, thimpeall is an dó dhéag san oíche, tháinig an bhó ag ruaghéimneach chuig an doras.

' Mo choinsias,' a dúirt m'athair, ' gabhfaidh sí amach anois, ar mhodh ar bith. Sin é géimneach na bó atá ag an doras. Ní bó cheart í ar chor ar bith—tá sí tugtha as.'

' M'anam,' a dúirt an driotháir eile, ' nach ngabhfaidh sí amach. Má théann ach go gcoinneoidh mise píosa daoithi sa stanna le m'aghaidh[10] féin ar mhodh ar bith. Tá sibh ag tabhairt isteach agus ag creidbheáil in iomarca ghnoithe síofróg. Coinneoidh mise píosa daoithi,' a dúirt sé.

' Bhail, má choinneoidh,' a dúirt m'athair agus an driotháir eile, 'coinnigh í, ach caithfidh muide amach cuid daoithi ar mhodh ar bith.'

Chaith siad amach cuid daoithi chuig na madaidh agus choinnigh an tríú driotháir píosa daoithi ins an stanna i gcónaí. Ach chuir sé síos greim daoithi i bpota dó féin an oíche seo le bruith agus nuair a bhí sí ag fiuchadh, d'éirigh mo dhuine bocht amach—theastaigh canna uisce uaidhe, bhí lochán beag síos ón teach agus chuaigh sé síos faoi dhéin canna uisce leis na fataí a nighe nó rud éigin, ar ndóiche, agus nuair a chrom sé ins an lochán nuair a dhírigh sé é féin bhí an bhó ina seasamh os a chionn[12] agus í ag faire air chomh géar agus a dhá súil grinn ag faire mar a bheadh dúil aici a súil a chur isteach thríd.[13] Tháinig sé abhaile le deifir.

' Mo choinsias,' a deir sé, ' an méid atá fágtha sa stanna ach gabhfaidh sé chun cnoc[14] anocht. Chonaic mise an bhó sin arís anocht.'

' Bhail, má chonaic,' a dúirt an mhuintir eile, ' glan amach an méid atá sa stanna ar mhodh ar bith.'

Ach thug sé leis an méid feola a bhí ins an stanna agus chaith sé amach chuig na madaidh é. Ó rinne siad an obair sin, níor mhoithigh siad torann nó tuaim i ngaobhair an tí ó shin faoi ghnoithe na bó.

Shin é mo scéal anois.

8.

THE WHITE-BACKED COW ABDUCTED

This wasn't the only cow to be abducted, but she was one of them anyway. My father owned her long ago when he was growing up a lad, he and his two brothers. They lived back in a place they called *An Lag*. Indeed, they had nine or ten cows, for cows were cheap that time and there wasn't much of a price for them.

Anyway, this cow calved in the month of April. She was a speckled cow—they called her ' the white-backed cow.' She was in calf anyway and she had a calf, as the man said, in the month of April.

Just three days after she calved, they had to let her out. The haggard was all but empty and she was allowed out with the other cows to where they always went to graze beside *Cúl Scraith na bhFiodán*.

This day, anyway, the third day after she calved, only three days after, she was out there and got caught in a snowstorm, caught cold and fell down dead on the spot, out at *Cúl Scraith na bhFiodán*. When my father went out to look for her in the evening, he found the white-backed cow lying dead. There was quite an abundance of beef on her too and, of course, they were fond of beef in those days but had no money to buy it. Anyway, he came back home with the other cows and left the white-backed cow lying there.

'Well,' said one of the brothers, 'we'll go out and skin her,' said he, 'and we'll salt her and get—better that than throw her, leave her to the dogs.'

Out they went anyway, out into the night, and they had men, other men, with them to help them. There were good neighbours in the place that time. Anyway, they dragged and pulled the cow in all the way till they had her at the house. The cow was skinned and fixed up and they put her in a barrel with plenty of salt on her.

Exactly the day she died, some people from Portacloy they called 'Máire Ruadaí's women,' people who knew the cow well, for they always came over to visit in Kilgalligan and knew my father's cows well, saw her. They saw the white-backed cow heading off that evening, frisking and frolicking wildly till she disappeared over the cliff at the top of Portacloy Point.

Well, that was that—my people had the cow salted in the house and one night she was put down to boil. They weren't able to eat a pick of her, however—her flesh was as hard as bog deal.

'Oh, we'll just throw her out,' one of them said.

'Indeed we won't,' said another, 'we'll boil her another bit—maybe she's not boiled well enough.'

But just about twelve o'clock at night, the cow came to the door, bellowing fiercely.

'I do declare,' said my father, 'she'll go out now, anyway. That's the cow bellowing at the door. She's not a proper cow at all—she's been abducted.'

'By my soul,' said the other brother, 'she won't go out. If she does, I'm going to keep a piece of her in the barrel for myself, anyway. You are giving in to and believing in too much of that fairy business. I'm going to keep a piece of her,' said he.

'Well, be that as it may,' said my father and the other brother.

They threw out some of her to the dogs and the third brother still kept a piece of her in the barrel. This night he put on a piece of her to boil in a pot for himself and when it was boiling, he went out, the poor fellow—he needed a can of water and there was a pond below the house and he went down for a can of water, to wash the potatoes or something, and as he bent down at the pond and then straightened up again, there was the cow standing over him, glaring at him with her piercing eyes as if she wanted to stab him through. He made for home.

' I declare,' says he, ' what's left in the barrel must go out tonight. I saw that cow again tonight.'

' Well, if that's the case,' said the others, ' clear out whatever's left in the barrel anyway.'

So he took what was left in the barrel and he threw it to the dogs. When they had done that, they never heard sound or noise of the cow near the house after that.

That's my story now.

1. Used without the definite article, cf. *Hamilton II*, 202.
2. Pronounced [t'ʃr'i:hu:]. Cf. *Mhac an Fhailigh* § 560 and *Hamilton I*, 351.
3. Both *fáisnéis* and *fáirnéis* are listed in *Stockman* § 780. Cf. also *Wagner*, 307 and *Mhac an Fhailigh* § 238. I have only heard *fáirnéis*.
4. Pronounced [ə xə'maix']. A pretonic [ə] is fixed to this adverb. Cf. also [ə xə'g'ɛːər] later in this text and other examples below.
5. Cf. *Hamilton II*, 203. It occurs again in Text 19.
6. I take this to be *páirtí*. It is given as *party* in *Hamilton II* and Text 16, p. 176-7 (' *party* eigcinnt ' [pa.rt ek'iN't']). It occurs again in Texts 16 and 19.
7. *Aithne* seems to be used freely of both people and animals. Cf. also Text 12, p. 39.
8. Cf. *Mhac an Fhailigh* § 524 and Note 10, Text 6, p. 18.
9. Cf. *Mhac an Fhailigh* §§ 238, 509.A (iii) and *Wagner*, Question 355, p. 299.
10. Cf. Note 2, Text 5, p. 12. Both [l'ɛ hɛi] and [l'ɛ hɛijə] are listed in *Hamilton II*, 204.
11. This is somewhat unclear.
12. Distinct nominative (*ceann*) and dative (*cionn*) forms are preserved in this dialect. Cf. *Hamilton I*, 347 and *Mhac an Fhailigh* § 571.
13. [ən krok] is what is said. Cf. Note 3, Text 6, p. 18 and for the confusion of *chun* and *ag*, cf. *Mhac an Fhailigh* § 572.

For notes on *feoil thubaiste* (' calamity meat '), as it is called in Donegal, cf. *SS*, 377-8, where a version of this story first published in *Béaloideas* 23 (1954), 205-6, is reprinted in Irish and translated into English. *Béaloideas* 13 (1943), 203-5 contains a Mayo (Erris) version of this story where the meat in question is called *feoil easbhuch*, literally, ' defective meat'. *Béaloideas* 24 (1955), 57-8 contains a similar story from Co. Galway also embodying this widespread belief as does *Otway*, 44-6. Cf. also *Curtin*, 121-6.

Droimfhionn was in common enough use as a cow's name. For lists of names given to cows, cf. *Béaloideas* 4 (1934), 370 and *An Stoc* I, 8, Bealtaine 1924, p. 2, col. 1. In another recording of this story (Tape 41/1 SÓC 16/3/1976), John calls this cow ' *An Whitehorn* '—' The Whitehorn.'

This recording was made at my house in Stonefield on 30/3/1981. Duration: 5' 00". *Tape 119 SÓC (19 cms.p.s.).*

Collecting placenames on the Kilgalligan moorland.
Photo: C. Ó Danachair

9.

'BODÓGAÍ' NA SÍ RUAIDHE

Á, maise, tá mé ag éisteacht le gnoithe na Sí Ruaidhe[1] ón lá a bhí mé in ann éirí amach. Mhoithínn seandaoine i gcónaí ag caint ar an tSí Ruaidh.

Ba é an tSí Ruaidh an áit ab uaigní ar thalamh na hÉireann ariamh le gnoithe síofrógacht agus obair mar sin. Bhí go leor siáin ann agus bhí sé comhairthe a bheith an-uaigneach agus bhí sé uaigneach le gnoithe siógaí.

Bhí fear eile i gCeathrú na gCloch fad ó shin agus bhí ceithre bodógaí amuigh sa tSí Ruaidh aige ar féarach, mar a dúirt.[2] Ba é talamh gach uile dhuine é—ní raibh sé ag íoc aon phighinn astu ach go díreach go mbíodh siad fágtha amuigh. Théadh sé amach gach uile oíche chucu agus brosna féir ar a dhroim leis le caitheamh chucu.

Agus bhíodh sé ar an gcaoi sin ar feadh am fada agus ní raibh aon bhó bhainne ag an duine bocht. Agus bhí sé pósta agus bhí *family*[3] lag páistí air agus ní raibh aon deor bhainne aige le cur sa tae go mion agus go minic ach de réir[4] is mar a dhéanthaí cabhair air ó theach na comharsan.

Ach an mhaidin seo, na ceithre bodógaí seo a bhí amuigh—tháinig na ceithre bodógaí anuas chuig an teach agus bhí ceithre uthanna bainne acu chomh mór le cliabh. Agus thoisigh sé dá mbleaghan agus choinnigh siad neart bainne leis ar feadh am fada. Agus ní raibh aon ghamhain ariamh acu ach an bainne.

Mhoithigh mé é sin go minic.

9.

THE 'HEIFERS' OF *AN tSÍ RUAIDH*

Well, indeed, I have been listening to all about *An tSí Ruaidh* since I was first able to get around. I used to hear the old people always talking about *An tSí Ruaidh*. It was the most eerie place in the land of Ireland, with all its spells and charms. There were lots of fairy mounds there and it was counted a very lonesome place and it *was* a lonesome place because of the fairies.

There was another man in Stonefield long ago who had four heifers out grazing at *An tSí Ruaidh*, as [the man] said. It was commonage and he wasn't paying a penny to anyone, but just left his cows out there. He used to go out every night with a bundle of hay on his back to give to them.

He carried on like that for a long while but the poor fellow had no milch cow. And he was married and had a family of weak young children and very often he hadn't a drop of milk for the tea except whatever he might get from helpful neighbours.

One morning that these four heifers were out, they came back down to the house with four udders of milk as big as baskets and he milked them and they kept him in milk for ages. They never had a calf, just the milk.

I often heard that.

1. A lonely spot between Carrowtigue and Portacloy (cf. p. 32).
2. *Mar a dúirt* and *mar a dúirt an fear eile* (roughly the equivalent of ' as the man said ' in colloquial English) are interjections much favoured by this storyteller.
3. ' Family ' (used also almost identically so in *Stockman* § 1217) in this phrase or in *cé chaoi a bhfuil d'*fhamily? ' how is your family? ' is an English word well-rooted in the Irish of Mayo. It occurs again in Text 19.
4. Pronounced [L'e:s]. Cf. *Hamilton II*, 214. For the development of $r > l$, cf. *Mhac an Fhailigh* § 454.

An tSí Ruaidh is easily the most talked about and most feared fairy place in this whole district and is the location of a great deal of the events and activities associated with the fairy lore of the locality. Mention of it occurs again in Text 10. Both *Otway* (120ff.) and *Westropp* (*Folk-Lore*, 29 [1918], 312) refer to a noted fairy place of the locality which they call *Cruickeen na Shehoge* and *Cruickeen na Sheehoge* (= *Cnocín na Sióg* ' The Fairy Mound ') respectively and it would appear from their descriptions that this mound is located in the vicinity of *An tSí Ruaidh*.

Other recordings of this story can be found on Tapes 51/2 SÓC (24/9/1976) and 110/2 SÓC (1/4/1980).

This recording was made in my house in Stonefield on 1/1/1981. Duration: 1' 24". *Tape 116/1 SÓC (19 cms.p.s.).*

10.

NA SIÓGAÍ AGUS AN BHEIRT A RAIBH CRUIT ORTHU

Ó, bhí beirt i mBaile na Cille a raibh cruit ar gach éinne acu, na créatúir. Ach bhíodh ba amuigh i Ladhar an Dá Abhainn acu an áit a dtugann siad An tSí Ruaidh air. Ach chuaigh fear na cruite seo, an duine bocht, amach, aon lá leis na ba—lá breá a bhí ann—agus shuigh sé amuigh ar chnocán nuair a d'fhág sé na ba sa tSí Ruaidh. Agus ní raibh sé i bhfad ina shuí ar an gcnocán nuair a mhoithigh sé an ceol ag na siógaí:

'Dé Luain agus Dé Máirt,' a d'abraíodh siad, 'agus Dé Céadaoin.'

Nuair a bhí fear na cruite. . . . Thoisigh sé ag cur leofa:

'Dé Luain agus Dé Máirt agus Dé Céadaoin,' a d'abraíodh sé féin.

Bhí siad ar siúl scathamh maith ar an obair sin ach ar a dheireadh, stop an ceol agus dúirt fear na cruite leis féin go raibh sé in am aige a bheith ag tarraingt ar an mbaile.

Ach ba é cic an scéil é nuair a bhí sé *land*áilte ins an teach, ní raibh cruit ar bith air. Bhí sé chomh díreach le maide rámha, glan díreach saor ó chruit agus bhí an gháir amuigh gur baineadh an chruit de ins an tSí Ruaidh.

Agus ansin, an fear eile a bhí ar an mbaile a raibh cruit air féin, an créatúir—cruit i bhfad níos mó a bhí ar an gcréatúir; fear na cruite móire a thugadh siad air.

'Bhail,' a deir fear na cruite móire, 'gabhfaidh mise amach le mo chuid bó féin arís amárach,' a deir sé, 'le cúnamh Dé, agus má mhoithím ceol, gabhfaidh mé ag cur leofa.'

Ach d'imigh sé, fear na cruite móire, lá arna n-óirthí[1] amach arís lena chuid bó agus d'fhág sé amuigh sa tSí Ruaidh iad agus shuigh sé ar chnocán—lá breá a bhí ann—ag faire uaidhe. Agus ní raibh sé i bhfad ina shuí ar an gcnocán nuair a mhoithigh sé an ceol breá arís:

'Dé Luain agus Dé Máirt and Dé Céadaoin.'

Ach le farasbarr maitheasa, thoisigh fear na cruite móire ag cur leofa:

'Dé Luain agus Dé Máirt agus Dé Céadaoin,' a dúirt sé,

' Lá Aonach an Bhréidín.'

' Ara,' a dúirt fear de na siógaí, ' cé hé sin ag milleadh ár gcuid ceoil bhreá? '

Ní raibh níos mó ann. Stop an ceol. Ach tháinig fear na cruite móire isteach, an créatúir, abhaile agus dá mhéad de chruit a raibh air ag gabháil amach dó, bhí a sheacht n-oiread de chruit air nuair a tháinig sé abhaile.

Sin an chaoi ar mhoithigh mise anois an scéal.

10.

THE FAIRIES AND THE TWO HUNCHBACKS

Oh, there were two hunchbacks in Kilgalligan, the creatures. There used to be cows out at *Ladhar an Dá Abhainn* at a place they call *An tSí Ruaidh* and this man with the hump, the poor fellow, went out one day with the cows—a fine day—and, when he left the cows at *An tSí Ruaidh*, he sat down on a little hillock. He wasn't a long time sitting on the hillock when he heard the fairy music.

' Monday and Tuesday,' they were singing, ' and Wednesday.'

When the hunchback began to sing—he began to accompany them:

' Monday and Tuesday and Wednesday,' *he* sang.

This went on for a good while, but at last, the singing stopped and the hunchback said to himself that it was time for him to be heading home.

The upshot of the matter was, however, that when he landed home, he had no hump at all. He was as straight as an oar, totally free of his hump, and it was reported that the hump had been removed at *An tSí Ruaidh*.

Well, then, there was another hunchback in the village and he had a far bigger hump, the creature; the man with the big hump they called him.

' Well,' says the man with the big hump, ' I'll go out with my cows tomorrow, with the help of God, and if I hear the music, I'll start accompanying them.'

So out he went the following day, the man with the big hump and his cows and he left them out at *An tSí Ruaidh*. It was a fine day and he sat down on a hillock and viewed all round about. He hadn't been sitting long on the hillock when he heard the fine music once again.

' Monday and Tuesday and Wednesday.'

And to top everything off to perfection, the man with the big hump began to accompany them:

' Monday and Tuesday and Wednesday,' he sang,

' The day of the Flannel Fair.'

' Well, well,' said one of the fairies, ' who can that be spoiling our beautiful singing? '

That was all there was about it. The singing stopped and the man with the big hump came home, the creature, but however big the hump he had when he went out was, the hump he had when he came home was seven times bigger.

That's the way I heard the story now.

1.   Cf. *Mhac an Fhailigh* § 458.

Three hundred and eighty-three Irish versions of *AT 503*, *The Gifts of the Little People*, are listed in the *Types of the Irish Folktale*. None of the twenty manuscript versions from Mayo mentions the *Lá Aonach an Bhréidín* cited by John in each of the three versions I have recorded from him. In the version quoted here, John also fails to complete the fairy chanting with ' *Dé Céadaoin* ' as he does in his other two versions. Most of these Mayo manuscript versions have the second hunchback add ' *Diardaoin* ' but some enumerate all the days of the week from Monday to Sunday. One version (IFC Ms. Vol. 321: 173-5) has the second hunchback chime in with ' And faith, Sunday ! ' for the significance of which cf. *SS*, 381, where a Donegal version of this story, first published in *Béaloideas* 23 (1954), 228-9, is reprinted and translated into English (No. 62, p. 160-3).

Two other recordings of this story can be found on Tapes 52/1 SÓC (24/9/1976) and 110/2 SÓC (1/4/1980).

This recording was made in my house in Stonefield on 30/3/1981. Duration: 2' 14".
Tape 119 SÓC (19 cms.p.s.).

11.

NEAMHCHUID CHLANN AGUS A PHOTA ÓIR

Tá fhios agat, tá píosaí talaimh ann a mbíonn na buachaláin bhuí ag fás an-téagarach thar áiteacha eile. Ach bhí an fear seo oíche ag gabháil aníos ón gcladach agus mhoithigh sé an cineál ceol[1] ar chois biolla síos ó Bhun an Bhóthair. Agus bhí sé ag tíocht ón gcladach ag tíocht leathréidh ag tarraingt ar an gceol. Ach chonaic sé an fearín beag ina shuí ar chois biolla agus é ag deasú bróige. Agus níl aon bhuille a mbuailfeadh sé ar an mbróig:

'Tá pota óir agamsa,' a d'abraíodh sé, 'faoin mbuachalán buí.'

Agus ansin, ní dhearna an fear a bhí ag tíocht ón gcladach ach greim a fháil air. Agus tá sé ráite nuair a ghabhfas tú greim ar an bhfear beag sin, tá fhios agat—sin é neamhchuid chlann,[2] an dtuigeann tú—nuair a ghabhfas tú greim air nach dtig leis imeacht. Ach fuair fear an chladaigh greim air.

'Anois,' a dúirt fear an chladaigh, 'tá mé ag éisteacht le do chuid ceoil go bhfuil pota óir agat faoin mbuachalán buí agus ní ligfidh mise amach as mo lámh a choíche thú go 'seáinfidh[3] tú an pota óir dom.'

D'imigh an bheirt acu.

'Téanam[4] liomsa,' a dúirt neamhchuid chlann, 'agus 'seáinfidh mé an buachalán buí duit.'

Agus nuair a tháinig siad go dtí an chéad bhuachalán buí, rinne sé beithíoch de.

'Suí suas anois,' a dúirt neamhchuid chlann, 'ar an mbeithíoch sin.'

Shuigh. Agus d'imigh siad scathamh agus nuair a bhí siad imithe scathamh, casadh an buachalán orthu.

'Seo buachalán eile buí,' a dúirt neamhchuid chlann.

Agus nuair a tháinig siad go dtí é, ba beithíoch é.

'Suí suas ag marcaíocht[5] air seo,' a dúirt neamhchuid chlann leis.

Shuigh. Agus d'imigh siad scathamh agus ba é an cás céanna[6] é—bhí tilleadh buachaláin bhuí rompu. Ach d'éirigh fear an chladaigh tuirseach den obair.

'Anois,' a dúirt fear an chladaigh. 'mura n-insí tú domhsa cá[7] bhfuil an pota óir, cér bith rud a dhéanfas na beithigh, ach ní fhágfaidh tú mo lámha nó go n-insí tú an obair sin dom.'

'Bhail, anois,' a dúirt neamhchuid chlann, 'an bhfeiceann tú an buachalán mór sin thoir,' a deir sé, 'atá níos airde ná an chuid eile? Gabh soir agus cart aníos é sin agus gabhfaidh tú an t-ór faoi.'

Lig fear an chladaigh amach é agus nuair a lig, d'imigh sé mar sinneán gaoithe as a láimh. Chuaigh fear an chladaigh soir chuig an mbuachalán mór buí agus dá mbeadh sé ag cartadh ariamh ó shin, ní bhfuair sé aon dath den ór.

Sin é an chaoi a mhoithigh mise anois é.

Peadar Bairéad: Maith thú, maith thú!

11.

THE LEPRECHAUN AND HIS POT OF GOLD

You know, there are patches of ground where ragweed grows more thickly than others. One night this man was coming up from the shore and down at *Bun an Bhóthair* he heard music of a sort near a sand dune. He was coming up from the shore, slow and easy, making for the music. Then he saw a tiny little man sitting by the sand dune, mending a shoe. And with every blow he struck the shoe he would say:

'I have a pot of gold under the ragweed.'

The man who was coming up from the shore just grabbed him. It's said that when you catch a little man like that, you know—that's the leprechaun, you see—that when you catch him he can't get away. The man that had been on the shore caught him anyway.

'Now,' said he, 'I have been listening to your tune about the pot of gold you have under the ragweed and I am not going to release you from my grip until you have shown the pot of gold to me.'

The two of them went off.

'Come with me,' said the leprechaun, 'and I'll show you the ragweed.'

When they came to the first ragweed he turned it into a horse.

'Sit up on that horse, now,' said the leprechaun.

He sat up on the horse and they rode a bit and after a while they saw another ragweed.

' Here's another ragweed,' said the leprechaun.

And when they came up to it, it was a horse too.

' Sit up on this one for a ride,' said the leprechaun.

He mounted the horse and they rode for a while and just as before they met up with more ragweed. The man who had been on the shore was getting fed up with the proceedings.

' Now,' said he, ' whatever about the horses, unless you tell me where the pot of gold is, you'll never leave my grip.'

' Well, now,' said the leprechaun, ' do you see that big ragweed over there,' says he, ' the one that's taller than all the rest? Go over and dig it up and you'll find the gold under it.'

The man who had been on the shore released him and immediately he left his hand like a puff of wind. He went over to the big ragweed but no trace of gold could he find, not even had he been digging from then to this.

That's the way I heard it now.

Peadar Bairéad: Good for you, good for you!

1. *Cineál* is not followed by the genitive case. Cp. *seort* in *Hamilton I*, 215. Other examples occur elsewhere in these texts.

2. *Neamhchuid chlann* is translated as ' absence of a family ' in *Hamilton II*, 204.

3. The verb *taispeán* has lost its first syllable (cf. *Mhac an Fhailigh* § 312), a feature not exhibited by any of the forms listed in *Stockman* (460) for Achill or *Wagner* (Question 294, p. 299). Text 19 (cf. Note 10) has [t'ʃisp'a:nuw] without any loss of syllable, however.

4. In the sense of ' come along '. Cf. *Mhac an Fhailigh* § 593.

5. *Mhac an Fhailigh* (§ 518.A (ii)) gives this as /marki:xd/ with non-palatal -*rc*-. *Wagner* (Question 178, p. 298) has [ma:rkI:əxt] also showing non-palatal -*rc*-. In my experience, it is mostly pronounced with palatal -*rc*- (as here), though I have also heard the non-palatal pronunciation.

6. [ə ka:ʃ k'ɛ:əNə]—an example of sandhi; not among the many examples adverted to in *Mhac an Fhailigh* §§ 210-36.

7. Pronounced [t'ʃe:]. Cf. *Hamilton II*, 215 and Note 3, Text 5, p. 12.

Jeremiah Gillen's *The Leipreachán: A Description of the Fairy Shoemaker in Irish Folk-Tradition* (unpublished M.A. thesis [1978] in the Department of Irish Folklore, University College, Dublin) contains a comprehensive survey of traditions and legends relating to the leprechaun in Ireland. Leprechaun nomenclature is dealt with by the same author in ' An Leipreachán san Ainmníocht ' (with English summary) in *Béaloideas* 50 (1982), 126-50. In this part of Mayo, leprechauns are usually called *lochromáin* in Irish, a word sometimes confused there with *Lochlannaigh* ' Vikings ' (or ' Danes ' as they are often referred to in Ireland), about whom there is also a good deal of local lore, *Neamhchuid chlann*, the name John uses for the leprechaun, also features in a fine version of this story told by him in *Hamilton II* Text 15, p. 172-5.

This account of the leprechaun—the fairy shoemaker—and his hidden treasure incorporates the theme of humans riding with the fairies, a theme more commonly associated with the fairy legend type ' Hie for London, Spain etc.' (q.v. *Béaloideas* (1932), 419-26; *Béaloideas* 10 (1940), 201; *O'Sullivan* (1966), 278-9). Stories of the leprechaun and his hidden treasure usually end with the human marking the spot where the leprechaun has revealed the treasure to be—frequently under a ragweed—only for the human later to find hundreds of ragweed similarly marked at this same spot thus making it impossible for him to find the treasure.

Other recordings of this story can be found on Tapes 1/2 SÓC (no date), 14/1 SÓC (31/12/1974) and 57/2 SÓC (14/3/1977).

This recording was made at the home of Thomas Connolly, Stonefield on 24/9/1978. Duration: 2' 25". Tape 52/1 SÓC (9.5 cms.p.s.).

Swedish television crew filming John Henry in Kilgalligan.

12.

BEAN A THUG CÍOCH DO PHÁISTE SÍ

Bhail, bhí baintreach ann *turn*[1] thart anseo—níl sé i bhfad as an áit seo—agus bó amháin a bhí ag an gcréatúir agus ba bó mhaith bhainne í. Níl fhios agam anois ar inis mé an scéal seo duit aon am ar bith nó nár inis. Ach cailleadh an bhó uirthi agus chuaigh sí chuig fear ar an mbaile agus dúirt sí leis an bhó a fheannadh. Ach d'fheann an fear an bhó daoithi agus nuair a bhí an craiceann triomaithe aici—caithfidh tú aol agus salann a chur ar chraiceann na bó lena thriomú, an dtuigeann tú—chuaigh sí go Béal an Átha an lá seo agus an craiceann léithi ins an gcliabh. Agus dhíol sí an craiceann i mBéal an Átha ach níl fhios agam céard a fuair sí air.

Ach ag tíocht abhaile, ar ndóiche, bhí sé ag éirí leathmhall tráthnóna—chonaic sí teach ar thaobh an bhóthair agus bhí fear ag clúdach an tí. Agus bhí an naíonán ag caoineadh istigh sa teach. Chuir sí ' Bail ó Dhia ' ar an bhfear a bhí ag clúdach an tí agus labhair sí leis.

' Bhail,' a dúirt an fear a bhí ag clúdach an tí, ' an meas tú go ndéanfá oibliogáid orm? ' a dúirt sé.

' Céard é? ' a deir sí.

' An ngabhfá isteach agus an dtabharfá an chíoch don bpáiste atá istigh—tá a mháthair imithe bealach eile? '

' Gabhfaidh,' a deir sí, ' agus fáilte.'

Chuaigh an bhean isteach agus leag sí an cliabh ar chois an tí agus shuigh sí istigh ar chineál stól a bhí istigh aige. Ach tháinig an fear isteach ina diaidh agus rug sí ar an bpáiste agus bhí sí ag tabhairt an chíoch don bpáiste. Agus bhí bó ceangailte thíos in íochtar an tí.[2]

' Bhail, an n-aithníonn tú dada istigh sa teach seo? ' a dúirt an fear léithi.

' Bhail,' a deir sí, ' an bhó sin thíos,' a dúirt sí, ' is cosúil le mo bhó í a cailleadh orm an lá cheana.'

' Bhail, sin í do bhó anois,' a dúirt sé, ' agus ó bhí tú féin chomh maith, tabhair do bhó abhaile.'

Agus thug sí léithi an bhó agus bhí an bhó abhaile léithi agus luach craiceann an bhó a cailleadh uirthi.

Sin scéal fíor ar mhodh ar bith.

12.

THE WOMAN WHO SUCKLED THE FAIRY CHILD

Well, there was a widow woman round here one time—not far from this place—and the poor creature only had one cow and a good milch cow she was too. I don't know whether I told you this before or not. Anyway, the cow died and she went to one of the locals and asked him to skin the cow. He skinned the cow for her and when she had dried the skin—you have to put lime and salt on a cow hide to dry it, you know—she headed off to Ballina this day and the hide with her in a basket. And she sold the hide in Ballina, though I don't know what she got for it.

As she was on her way home—it was getting on late in the evening, of course—she saw a house by the roadside and there was a man thatching the house. An infant child was crying inside in the house. She spoke to the man who was thatching and blessed the work.

' Well,' said the man who was thatching, ' I wonder would you oblige me? '

' How? ' says she.

' Would you ever go in and give suck to the child within—its mother has gone off somewhere? '

' I will,' says she, ' and welcome.'

The woman went it with her basket which she laid down by the fireside and she sat down on a kind of stool he had there. The man followed her in and she lifted the child and she put it to her breast.

There was a cow tethered at the lower end of the house.

' Is there anything you recognize in this house? ' the man said to her.

' Well,' says she, ' that cow down there, is like my cow that died the other day.'

' Well, now, that is your cow,' said he, ' and take her home with you since you were so kind.'

Off she went home with the cow and the price of the hide of her cow that died.

That's a true story, anyhow.

1. This loan word from English has also been noted in *Hamilton I* (349) and *Mhac an Fhailigh* (§ 123) and also occurs in a slightly different sense in *Stockman* (§ 950). It reoccurs in Texts 14, 17 and 18.

For very similar versions of this story from Co. Galway, cf. *Béaloideas* (1946), 208-9 and IFC Ms. Vol. 271: 564-6. Caoimhín Ó Danachair's ' The Combined Byre-and-dwelling in Ireland ' (*Folk Life*, 2 [1964], 58-75) contains a plan of a house (from Faulmore on the, Mullet Peninsula) of the type referred to in this story.

I have recorded two other versions of this story from John Henry and these can be found on Tapes 61/1 SÓC (15/3/1977) and 122/1 (3/4/1978). Yet another version was recorded by me from Peadar Bairéad on 16/5/1976 (Tape 48/1 SÓC) in John's presence and as this version predates all of John's three tellings, the possibility that Peadar Bairéad may have been the source for John's versions cannot be ignored. It may be said, at least, that the version told by Peadar Bairéad on 16/5/1976—while John Henry was listening—may have served to jog John's memory on that occasion, reminding him that he too knew that same story, eventually leading to him telling me a version of it at a recording session less than three months later, when, as it so happened, Peadar Bairéad was not present.

This recording was made at the home of Thomas Connolly, Stonefield on 2/8/1976. Duration: 1' 49". Tape 76/1 SÓC (9.5 cms.p.s.).

Collecting placenames on the cliffs of Kilgalligan.

13.

SOITHÍOCH DHÁ CHRANN I mBARR NA hASCAILLE

Bean i gCeathrú na gCloch a bhí thall i Lag na hAscaille tráthnóna cheoigh ag faire ba. Tá fhios agat féin cá bhfuil an bóthar ag gabháil soir ag Panc an Fhéitheáin Bháin, ar ndóiche. Is gearr an bóthar sin déanta. Níl sé déanta . . . bhail, tá sé déanta le leithchéad bliain, creidim. Ach ní raibh aon bhóthar san am seo anois ann a bhfuil mé ag gabháil ag trácht air.

Bhí an bhean seo ag faire ba thráthnóna cheoigh ach cér bith chaoi a dtug sí thart a leiceann, chonaic sí soithíoch[1] dhá chrann ag gabháil aniar na Garranta Garbha agus soir anois an spota céanna a bhfuil an droichead ar an bhFiodán Bán, mar a déarfá, agus soir Barr na hAscaille. Ach nuair a tháinig sí abhaile san oíche, leis na ba tráthnóna:

' Bhail,' a dúirt sí, ' gabhfaidh carr tine go fóill Barr na hAscaille.'

' Cad chuige? ' a dúirt muintir an tí.

' Chonaic mé *steamer* mór dhá chrann tráthnóna ag gabháil aniar ansin,' a dúirt sí.

' Thairí dhaot, a amadáin,' a dúirt siad, ' ag brionglóideach a bhí tú.'

' Ní hea,' a dúirt sí, ' chonaic mé cinnte an soithíoch.'

Agus b'fhíor daoithi. Tá bóthar inniu ann agus carranna ag *fly*áil gach uile mhóiméid sa lá ann.

13.

A DOUBLE-MASTED VESSEL IN *BARR NA hASCAILLE*

A Stonefield woman was over in *Lag na hAscaille* one misty evening minding the cows. You know well yourself where the road goes there at *Panc an Fhéitheáin Bháin*. That road's not long made, not more than fifty years, I suppose. There was no road there the time I'm talking about.

This woman was minding the cows on a misty evening and for some reason she turned her head and she saw a double-masted ship sailing through *Na Garranta Garbha*, past the spot where the bridge over *An Fiodán Bán* is now, and out by *Barr na hAscaille*.

'Well,' said she, when she returned that evening with the cows, 'the time will come when a fire-wagon will travel by *Barr na hAscaille*.'

'How is that?' said the people of the house.

'I saw a double-masted steamer sailing through there this evening,' said she.

'Give over, you fool,' said they, 'you must have been dreaming.'

'I was not, indeed,' said she, 'I saw the vessel, sure enough.'

And what she said came true. There's a road there today and cars flying on it every minute of the day.

That's it now.

1. [sǝihi:ǝx] is what is said. *Mhac an Fhailigh* (§ 500B.) has /seçǝx/ and /sǝihǝx/; *Wagner* (Question 72, p. 297) has [sɛihǝx].

A fine version of this story from Tory Island, originally published in Irish in *Béaloideas* 28, p. 18-9 is reprinted with an English translation in *SS*, No. 104, p. 252-5.

The old woman's prediction of the coming of a 'carr tine' and John Henry's comments on the new road and its traffic are reminiscent of the prophecy attributed to Brian Rua Ó Cearbháin concerning the advent of *rotha iarainn ar chóistí teineadh* ('fiery carriages with iron wheels') and *bóthar mine . . . agus . . . cóistí agus carranna ag rith ann* ('a "meal road" with cars and carriages running along it'). See Mícheál Ó Tiománaidhe, *Targaireacht Bhriain Ruaidh Uí Chearbháin* (Baile Átha Cliath 1906), 6, 7.

Patrick Knight (*Erris in the Irish Highlands and the 'Atlantic Railway'* [Dublin 1836], 174-5) notes that the first steam vessel that appeared on the coast of Erris created a great sensation. All took it to be a vessel on fire and shouted '*Lung shee, lung shee, lung shee*' ('A fairy ship, a fairy ship, a fairy ship').

Another recording of this story can be found on Tape 110/2 SÓC (1/4/1980).

This recording was made at John Henry's home in Kilgalligan on 21/9/1973. Duration: 1′ 02″. Tape 22/1 SÓC (9.5 cms.p.s.).

14.

AN FHARRAIGE

Á, bhail, tá an fharraige uaigneach, is measa dúbailte í ná gnoithe an talaimh. Tá an fharraige uaigneach agus bhí sé comhairithe gach uile lá ariamh go raibh an fharraige an-uaigneach.

Deir siad go bhfuil an fharraige i gcónaí ag tóraíocht ar dhuine a bheith léithi; níl aon *turn* nach dtiocfaidh an lán mara isteach ar an trá nuair a bheas sé ag líonadh—deir siad gur maith leis an lán mara duine a bheith amach leis báite. Shin é anois an rud a mhoithigh mise.

Agus chomh maith, a dúirt siad, níl fhios agam ar bréag nó fírinne anois é, ach deir siad, lá dheireadh an domhain, go rachaidh an fharraige isteach i bhfaochóg mhór le faitíos roimh bhreithiúnas an tAthar Síoraí[1] uirthi. Mhoithigh mé an obair sin go minic.

Tá tóir ag an bhfarraige mhór ar na daoine. Agus d'abraíodh na seandaoine fad ó shin gurab í an fharraige mhór Teampall[2] Naomh Pádraig.

Agus bhí siad ag rá fad ó shin nuair a d'éiríodh seanduine, siar anois san áit a bhfuil mise i mo chónaí, i mBaile na Cille, bhreathnaíodh sé amach ar an bhfarraige agus dá mbeadh an lá séite, d'abraíodh sé mar seo: ' Tá bláth bán ar Gharraí *Phaddy Lally* inniu.'

14.

THE SEA

Oh, well, the sea is very lonesome, twice as bad as the land and all that goes on there. The sea is lonesome and was always counted so, every day that was.

They say the sea is always searching for someone to take with her; there's not a tide that flows up the beach but would like to take someone with it, drowned, they say. That's what I heard now.

And they say as well—be it true or false—that on the last day of the world, the sea will go into a big periwinkle for fear of the Eternal Father's judgement of her. I often heard that.

The ocean searches out people and the old people long ago used to say that the ocean was St. Patrick's Graveyard.

And they said long ago, back where I live in Kilgalligan now, that there was an old man who used to look out to sea when he got up and if it was a stormy day, this is what he would say: ' There's a white blossom on Paddy Lally's Garden today '.

1. This seems to be a similar kind of mistake to the one adverted to in Note 1, Text 2, p. 4.
2. *Teampall* means ' graveyard.' Cf. *Hamilton I*, 350 and *Mhac an Fhailigh*, 251.

Traditions, beliefs and legends associated with the sea are as numerous and varied as its many moods. For a wide-ranging survey of Donegal folklore of the sea, cf. Seán Ó hEochaidh's ' Seanchas Iascaireachta agus Farraige ' in *Béaloideas* 33 (1965), 1-96 (cf. p. 15 for God's anger and the sea's retreat before it into a periwinkle shell on Judgement Day; further evidence of this belief from Donegal may be found in *Béaloideas* 11 (1941), 83). From the same county, numerous examples of stories linking the fairies and the sea occur in *SS* (cf. especially Nos. 74-93 *Síógaí Farraige agus Cois Chladaigh/Fairies of Sea and Shore*, 186-227). Cf. also S. Ó Catháin and S. Ó hEochaidh, ' Foclóir agus Seanchas na Farraige ' in *Zeitschrift für celtische Philologie* 31 (1970), 230-74. Cf. also S. Ó Catháin, ' The Folklore of the Sea,' in *Ireland and the Sea* (ed. John de Courcy Ireland and Eoghan Ó hAnluain [Dublin 1983], 129-49).

Teampall Naomh Pádraig ' St. Patrick's Graveyard ' and *Garraí* Phaddy Lally ' Paddy Lally's Garden ' may be compared with *Gáirdín na Maighdine Muire* ' The Virgin Mary's Garden,' a name for the sea shore recorded in Co. Clare where the sea was also referred to as *Garraí an iascaire* ' The fisherman's garden ' (IFC Ms. Vol. 38: 263). *Gáirdín an iascaire* (*An Stoc* 3, 11, Feabhra 1927, p. 8) as well as the obscure *Gáirdín cailm* (*An Stoc* 3, 12 Márta 1927, p. 1) have also been noted in Co. Galway as names for the sea.

Another recording of the sea and periwinkle episode may be found on Tape 79/2 Tape 79/2 SÓC (13/5/1978).

This recording was made at my house in Stonefield on 31/3/1981. Duration: 1′ 20″. Tape 132 SÓC (19 cms.p.s).

15.

COLANN GAN CEANN

Ba oíche Shathairn a bhí ann agus bhí muid ag iarraidh bradán fad ó shin. Ach bhí ceathrar againn ann agus bhíodh—triúr a bhíodh ag iomramh i gcónaí an uair sin agus fear thiar chun deiridh ag gabháil. Ach ba oíche Shathairn a bhí ann agus bhíthí an uair sin amach, ag gabháil amach, ar ndóiche, ag gabháil le cineál gadaíocht—dá gceapfadh an Garda thú ag gabháil amach, nó báirseoir, níor mhaith duit é; bhainfí na heangacha daot agus an curach.

Ach chuaigh muid amach—bhí an clapsholas go maith ann agus ag gabháil amach dúinn, ba luath linn a ghabháil ag caitheamh eangacha—bhí an oíche cineál, ní raibh ár sáith gaoithe ann ar chaoi éigin le haghaidh bradán—bhí sí cineál ciúin.

Ach dúirt an fear a bhí ag gabháil chun deiridh, a dúirt sé:
' Gabhfaidh muid isteach ins an bPoll Dorcha ar an bhfoscadh,' a dúirt sé, ' go fóill.'

Sin é an Poll Dorcha ar chúl na Leice thoir, tá fhios agat, faoin Strapa Ghorm ag Barr na Spince. Sin an áit a bhfuil an Poll Dorcha.

Ach nuair a bhí muid istigh scatamh agus fear ag lasadh a phíopa.

' Bhail, go raibh bhur n-anam ag na piarsaigh,'[1] a dúirt an fear a bhí chun deiridh, ' cuirigí amach bhur gcuid maidí agus tugaí daoithi. Breathnaigí ar an rud atá istigh ar an gcarraig.'

Ach thug mé féin thart mo shúil ar mhodh ar bith agus ba ó inniu agus an lá sin, sílim gur colann gan ceann[2] a bhí ann. Ach más ea—ach chaill muid allas go raibh muid *land*áilte ar thrá Phort an Chlóidh. Agus dúirt an fear a bhí chun deiridh go bhfaca sé, go raibh sé ag faire scatamh air, gur fear a bhí ann agus nach raibh cloigeann ar bith air. Ach más ea, shaothraigh muid an tráthnóna sin gur bhain muid trá amach. Ach ariamh ó shin ní dheacha mé amach aon oíche Shathairn ag iarraidh bradán.

15.

THE HEADLESS GHOST

It was one Saturday night long ago when we were out fishing for salmon. There were four of us—three of us rowing, at that time, and one man at the rudder. It was a Saturday night and, of course, they used to be going out poaching as it were—if a Guard or a bailiff caught you, it would be too bad; you would lose your nets and your currach.

Anyway, we went out at twilight or after and we thought it a bit too early to cast our nets on the way out—the night was sort of, somehow or other we didn't have enough wind for salmon—it was a bit on the calm side.

So the man who was in control of the boat in the stern said: ' We'll take shelter in *An Poll Dorcha* for a while,' said he.

That's *An Poll Dorcha* over behind *An Leac*, you know, under *An Strapa Gorm* at *Barr na Spince*. That's where *An Poll Dorcha* is.

So when we were in there a while a man lit his pipe.

' Well, damn your souls,' said the man at the rudder, ' put out your oars and row for all you're worth. Look what's in on the rock!'

So I glanced round, anyway, and from that day to this, I think it was the headless ghost I saw. Even so—we shed some sweat before we landed at Portacloy beach. The man at the rudder said that he saw that he was looking at it a while and that it was a man with no head. Be that as it may, it was a hard earned evening by the time we reached the shore. Ever since then I have never gone out fishing for salmon on a Saturday night.

1. I am not sure of the meaning of this word and my translation is tentative. It occurs again in Text 17, p. 51.
2. For observations on the rules governing lenition after *gan*, cf. *Mhac an Fhailigh* § 486 (iii).

Colann gan ceann ' The headless ghost '—not to be confused with *An Cóiste Bodhar* ' The Headless Coach ' (a death omen)—is the name given to a headless revenant in Irish-speaking parts of Ireland. ' Dullahans ' is the name given to such revenants by Crofton Croker in *Fairy Legends and Traditions of the South of Ireland* (London 1828 New Series), 85-102; cf. also *Dublin University Magazine* 31 (1841), 636, in this context. A fuller account of *Colann gan ceann* given by John Henry is found in *LL*, 101-2. For other accounts, cf. *Dublin University Magazine* 14 (1839), p. 493-4 and 27 (1846), 33; *Curtin*, 141-2; Douglas Hyde, *Leabhar Sgeulaigheachta* (Baile Átha Cliath 1899), 171-83 (with English translation in *Beside the Fire* [London 1890], 154-61); *Béaloideas* 2 (1929-30), 404-5.

Other accounts of *Colann gan ceann* have been recorded on Tapes 6/1 SÓC (25/11/1973), 31/1 SÓC (- 3/1975) and 37/1 SÓC (-/3/1975).

This recording was made at John Henry's home in Kilgalligan on 21/9/1973. Duration: 1' 30". Tape 22/1 (9.5 cms.p.s.).

16.

AN CHAILLEACH A BHÁIGH AN CURACH

Fad ó shin, bhí cailleach thiar sa gCill[1] ina cónaí agus bhí Araid an Chrothnaithe aici. Ní raibh aon araid ar thalamh an domhain nach raibh aici. Ach bhí sí féin agus páirtí eile a bhí ar an mbaile in aghaidh a chéile. Ach bhíodh na páirtithe[2] a bhí in aghaidh na caillí seo, bhíodh siad amuigh go mion agus go minic, ar ndóiche, ag baint sleámógaí le haghaidh leas fataí, ag iascaireacht ar mhurlais agus ar scadáin.

Ach an lá breá seo chuaigh siad amach, an ceathrar fear seo ab fhearr a bhí san áit, ag baint sleámógaí agus bhí an chailleach, bhí fhios aici go raibh siad imithe amach. Ach bhí beirt ghearrchaile[3] beaga ar an mbaile is bhíodh siad ag imeacht, ar ndóiche, mar a bhí a leithéid ariamh, ar a gcuairt. Ach chuaigh siad isteach i dteach na caillí agus níor chuir an chailleach aon amhail iontu.

Ach 'sé an obair a bhí ar an gcaillí, bhí pael uisce i lár an urláir aici agus báisín istigh ins an bpael leagtha ar an uisce ag snámh agus an chailleach ar a dhá glúin ag taobh an phaeil agus í ag tabhairt dó—ní raibh fhios ag na gearrchailí beaga céard a bhí ar siúl aici.

Ach thoisigh an t-uisce ag oibriú sa bpael agus bhí sé ag oibriú anonn agus anall agus cuid de ag tíocht amach ar an urlár. Ach thiompaigh an báisín ar deireadh agus shéid an lá agus tháinig cuma na hoíche ar an lá agus d'éirigh sé ina stoirm gaoithe móire.

Ach na créatúir a bhí ag baint na sleámóg, bhí siad ag gabháil aniar ag Tóin na Páirce Móire agus cuireadh isteach iad mórán ar na carraigeacha agus chuaigh an curach suas ar stuaicín géar a bhí ansin. Agus thiompaigh an curach. Ach shábháil triúr acu iad féin agus báitheadh an fear eile.

Lacky a bhí ar an bhfear eile. Agus níl aon lá ó shin nach bhfuil Staicín *Lacky* tugtha ar an staca sin.

Agus ba í an chailleach a rinne an obair sin. Ach más ea, bhí daoine mór léithi ní ba mhó—bhí faitíos acu roimpi. Bhí sí in ann gach uile sheort a dhéanamh. Bhí sí in ann gaoth mhór a thógáil agus bhí sí in ann caill a dhéanamh.

16.

THE HAG WHO SANK A CURRACH

There was once an old hag who lived in Kilgalligan and she knew The Wasting Charm—indeed, there wasn't a charm in the wide world she didn't know. Anyway, she and some other people from the village were at loggerheads. The people who were opposed to this hag were forever collecting seaweed for manure and fishing for mackerel and herring.

One beautiful day they went out collecting seaweed, four of the finest men in the place and the hag knew well that they had gone out. There were two little girls of the village going about visiting, as children do, and they entered the hag's house, but the hag paid no heed to them.

What the hag was doing—she had a pail of water in the middle of the floor and she had a basin in the pail, floating in the water and there was the hag on her knees by the pail, hard at it, whatever it was, for the two girls weren't able to say.

Then the water began to stir in the pail, and to seethe and some of it began to bubble out on the floor. Finally, the basin capsized and the wind rose, the day became as night and a fierce gale blew.

The creatures who were collecting seaweed were just passing by *Tóin na Páirce Móire* when they were driven ashore by the jagged rocks there and the currach ran aground on a sharp rock there and capsized. Three of them managed to save themselves, but the fourth was drowned. His name was Lacky and from that day to this that rock is called *Staicín Lacky*.

It was the hag who did that and, on account of that, the people were very friendly towards her ever after—they were afraid of her. She could do anything from raising a wind to causing death.

1. An abbreviated form of *Cill Ghallagáin* (Kilgalligan). For another example of this usage, cf. *Hamilton II*, 153 and for a detailed history of the name *Cill Ghallagáin*, cf. *LL.* 276, 280.
2. Cf. Note 1, Text 4, p. 9.
3. For observations on this and other forms of this word, cf. Note 5, Text 5, p. 12.

A Donegal version of this story is printed in *SS* (No. 73, p. 178-86 including English translation) in the notes to which (p. 383) a number of other Donegal versions are also listed. John Henry gives an account of this and other methods of raising a wind in *LL*, 270-2. Bo Almqvist (' Scandinavian and Celtic Folklore Contacts in the Earldom of Orkney ' in *Saga-Book* 20 [1978-9], Note 90, p. 104) lists sources for a number of Irish, Scottish, Icelandic and Faroese variants and suggests that this legend may be of Irish or Scottish origin. For raising a wind and/or causing drowning by magic means, cf. also T. Crofton Croker, *Legends of the Lakes* 2 (London 1829), 189-94; *Otway*, 386-90; *Dublin University Magazine* 50 (1860), 393; *An Stoc* 1, 1, Nodlaig 1917, p. 7; *Browne*, 638-9; T. J. Westropp, *Folk-Lore* 27 (1917), 206-7 and 33 (1922), 389-90; *O'Sullivan* (1977), Nos 46 (p. 82-83) and 47 (p. 83-84). An analysis of this legend type is contained in S. Mac Comhaill, *The Witch Sinks Ships* (unpublished Third Year Student Essay [1976] in the Department of Irish Folklore, University College, Dublin). For further information—also supplied by John Henry—on how *Staicín Lacky* got its name, cf. *LL*, 106-7.

Further accounts of raising wind and causing drowning by magic means can be found on Tapes 1/1 SÓC (no date), 14/1 SÓC (31/12/1974), 21/1 SÓC (18/9/1973) and 110/2 SÓC (1/4/1980).

This recording was made at the home of Thomas Connolly, Stonefield, on 31/12/1976. Duration: 2' 12". Tape 56/1 SÓC (9.5 cms.p.s.).

Collecting plantlore on the shore at Kilgalligan.
Photo: W. K. Pelin

17.

GABÁISTE ANÍOS Ó THÓIN NA FARRAIGE

Ó sin é Tír Faoi Thonn, Tír Faoi Thonn. Mhoithigh mise m'athair ag insean go minic, bhí a athair féin—sin é, sheo[1] é anois m'athair mór agus bhí sé féin agus ceathrar eile amuigh le curach.

Bhíthí an uair sin ag *rip*áil trosc, an dtuigeann tú. Bhí druithe móra acu, an dtuigeann tú, fada. Bhail, nuair a bheadh ansin thimpeall is ceithre phunta meáchain de luaidhe ar an dorú[2] sin agus bhíodh sé duáin mhóra ar gach aon cheann—bhail, chaithfeadh baoite a bheith air sin agus ní raibh aon bhaoite ab fhearr a bheith ar an duán ach scodal. Bhí tú cinnte—greim de scodal, an dtuigeann tú. Níl maith ar bith ann le n-ithe ach baoite maith trosc é.

Ach leis an scéal a athrú, mar a dúirt an fear eile, faoi Thír Faoi Thonn, mhoithigh mise m'athair ag insean fad ó shin nuair a bhí a athair féin ina bhrín óg, d'imigh siad siar chun an bhainc anois—ba é an banc a bhí acu Solas an Mhionnáin, ar ndóiche. Ba é an banc ab fhearr é le haghaidh trosc an uair sin.

Chuaigh siad siar, é féin agus ceathrar eile, agus thoisigh siad ag *rip*áil trosc. Ach chaith m'athair mór amach an *ripper* an *turn* seo agus lig sé go tóin é agus céard[3] a bhí aníos leis ar an *ripper* ach dilleog[4] de ghabáiste agus í leathbhruite. Agus níl ann ach go raibh sí istigh sa gcurach aige, chuir bean aníos a cloigeann taobh amuigh daofa.

' Go raibh bhur n-anam ag na piarsaigh,' a dúirt sí, ' bainigí an baile amach. Bhí pota gabáiste thíos agam ag bruith d'fhear an tí atá amuigh ag obair agus chaith tú do shean-*ripper* lofa anuas sa bpoll dheataigh[5] agus cá ndeacha sé ach isteach ins an bpota a bhí ar an tine agam. Agus tá mo phota millte agat.'

Bhail, ní dhearna siad a bholadh ach—scanraigh siad—an t-iomramh a chur amach agus tabhairt dó chomh maith agus bhí siad in ann leis an iomramh. Ach ag casadh dófa ag coirnéal Chorrúc bhí sé éirithe ina bhod an ghiorta,[6] ina thoit. Ach ar éigin agus bhain siad Trá na bhFothanta Dubha amach.

Is minic a mhoithigh mé m'athair dá insean sin. Ba shin scéal fíor. Creidim, ar ndóiche, creidim gur cónaí a bhí ins an spota a dtáinig siad air.

17.

CABBAGE FROM THE BOTTOM OF THE SEA

Oh, that's the Land Beneath the Sea, the Land Beneath the Sea. I often heard my father tell about his father—that's my grandfather and four other men who were out in a currach. They used to be ' ripping ' cod, you see—you know what that is. They had big long lines, you see. Well, when there would be a piece of lead about four pounds weight on the line and six hooks on it, three barbs on each of them, then there'd have to be a bait on that, and there was no better bait for the hook than cuttle fish. You were sure—a piece of cuttle fish, you know. It's not good to eat, but it's a good cod bait.

But to continue, as the man said, with the story of the Land Beneath the Sea. I heard my father say, long ago, when his own father was just a lad that they went out to the fishing bank—their bank was the Kid Island bank, of course. That was the best bank for cod, that time.

Out they went, himself and four others and they started ' ripping ' cod. And my grandfather cast the ripper out this particular time down to the bottom and what did he bring up on the ' ripper ' only a leaf of cabbage, a half-boiled cabbage leaf. And he had just got it aboard when a woman stuck her head up alongside them.

' Damn your souls,' she said, ' away home with you. I had a pot of cabbage boiling for the man of the house who is out at his work and you threw your rotten old " ripper " down the smoke hole and where did it land only on my pot on the fire. And you have spoiled my pot.'

They took fright and they just got the oars out and rowed off as fast as they could. As they rounded *Corrúc*, a sudden wind storm had arisen, spuming and they barely managed to reach the beach at *Na Fothanta Dubha*.

I often heard my father telling that. That was a true story. I suppose that it was a house that they happened on in that spot.

1.   For lenition of initial *s*, cf. *Mhac an Fhailigh* §§ 419, 567.
2.   Cf. *Mhac an Fhailigh* § 312 and (for the plural form of this word in the preceding sentence) § 530 (x).

3. Cf. Note 3, Text 5, p. 12. [gə t'ʃeːrd] is what is said, cp. *go cé* (*Mhac an Fhailigh*, t.204).
4. Cf. Note 2, Text 4, p. 9.
5. An example of sandhi. Cf. *Mhac an Fhailigh* § 213.
6. Described by John as *cnap d'iomghaoith* ' a mass of whirlwind.'

Other recordings of this story can be found on Tapes 79/1 SÓC (13/5/1978), 81/1 SÓC (15/5/1978) a transcript of which is contained in IFC Ms. Vol. 1931: 143-9, and 88/1 SÓC (2/4/1979).

This recording was made at the home of Thomas Connolly, Stonefield on 16/5/1976. Duration: 2' 14". Tape 48/2 (9.5 cms.p.s.).

Recording session in Thomas Connolly's house in Stonefield.

18.

PÁISTE ANÍOS Ó THÓIN NA FARRAIGE

Agus mhoithigh mé scéal eile. Ní thig liom a ráit[1] anois ar fírinne nó bréag é.

Ba sheo thoir os cionn Scoth na Muice ag Port Durlann. Bhí foireann as Port an Chlóidh amuigh agus bhí said ag *rip*áil trosc— ba é an rud céanna é. Ach a dúirt an fear seo—ba é a bhí thiar chun tosaigh ag druáil, bhí meáchain air an *turn* seo ag gabháil aníos dó:

' A fhearaibh,'[2] a dúirt sé, ' tá dhá throsc an *turn* seo ar mo *ripper*sa,' a deir sé, ' an chaoi a bhfuil an meáchan ar mo mhéar,' a deir sé.

Ach nuair a thug sé aníos an *ripper* i mbarr farraige céard a bhí leis ach páiste. Agus thug sé anall go dtí an curach é agus bhí an páiste beo beathamhach agus éadach casta air. Bhail, thug siad isteach sa gcurach é agus bhí sé cumtha mar páiste ar bith.

' Bhail,' a dúirt duine acu leis an duine eile, ' céard is fhearr dúinn a dhéanamh? '

' Níl fhios agam,' a dúirt fear den mhuintir a bhí sa gcurach, ' caith amach arís é.'

Ach ins an am céanna, chuir bean aníos a cloigeann taobh amuigh daofa agus í ag caoineadh.

' Dia dá réiteach,' a dúirt an bhean, ' chaith tú anuas do shean-*ripper* bréan,' a dúirt sí, ' anuas glan i mullach an tí. Agus bhí drochtheach againn,' a dúirt sí, ' agus an páiste a bhí sa gcliabhán, chuaigh na duáin i bhfastó ann agus sin é. Agus tugaí mo pháiste arís dom,' a dúirt sí, ' nó mura dtugaí, fear agaibh ní shéidfidh a shrón a choíche ar thalamh glas na hÉireann.'

Ní dhearna siad a bholadh ach an páiste a chaitheamh amach arís agus an baile a bhaint amach. Ach fuair siad a sáith de.[3] Phlúch sé le ceo, le cabaistíl broghaíl agus le gaoth aniar aneas. Ach ag gabháil aníos dófa ag Pointe an tSáraithe, ach go raibh na fir láidir, bhí na maidí ag déanamh tua cheatha san uisce le tréan ghaoithe. Ach rinne siad an trá ar éigin.

Thóg siad an curach agus sílim in éis an lae sin nár maraíodh go leor troisc le *ripper* ó shin.

Sin é mo scéal anois duit.

Peadar Bairéad: Maith thú, a John, maith thú, maith thú!

18.

A CHILD FROM THE BOTTOM OF THE SEA

And there's another story I heard, though I can't say whether it's true or false.

This happened on the seaward side of *Scoth na Muice* at Porturlin. A crew from Portacloy was out fishing, ' ripping ' cod, in the very same way. One of the men, the man who was working the line at the stern of the boat, felt a weight on his line this particular time as it was coming up and, said he:

' Men,' said he, ' I must have two cod on my " ripper " this time, judging by the weight on my finger.'

But when he pulled the ' ripper ' up to the surface, what was on it only a child. He brought it over to the currach and the child was alive and kicking and had a cloth wound round it. It was formed just like any other child and they took it aboard the currach.

' What's the best thing to do? ' said one to the other.

' I don't know,' said one of the currach crew, ' throw it out again.'

But just then a woman stuck her head up alongside them and she was crying.

' God help us,' said the woman, ' you threw out your rotten old " ripper ", straight down on top of the house. Our house is in bad repair,' she said, ' and the hooks got caught up in the child in the cradle, and there he is. Give me back my child,' she said, ' for if you don't, not a man jack of you will ever blow his nose on the green land of Ireland again.'

There and then they threw out the child and headed home. They had their work cut out. The sky filled with mist and filthy fog and rain and the wind blew from the south-west and as they were coming up by *Pointe an tSáraithe* their oars were making rainbows of water in the wind. But the men were strong and they managed to make land, though only barely.

They lifted their currach and I don't think many cod were caught with the ' ripper ' from that day on.

That's my story for you now.

Peadar Bairéad: Good for you, John, good for you, good for you!

1. Both *rá* and *ráit* are given as verbal nouns in *Hamilton II*, 210.
2. The [iv′] ending is only heard in this word and in ' Fiana*ibh* Éireann,' according to Mhac an Fhailigh § 338.
3. This is unclear.

The *Types of the Irish Folktale* includes the type **1889H** *Submarine Otherworld* whose scope extends to embrace ' versions of tales about either water beings, mermaids and such, who are said to live under the sea, or else to supernatural water animals which inhabit the water-world; also under-water cities and towns.' Of the 354 references listed there to manuscript and printed sources, fifty-six have to do with Co. Mayo. Only one of these, however, yields up an example of the story in Text 18 and it comes from the *Dú Caocháin* area (IFC Ms. Vol. 1191: 276). Máire Mac Neill, during a visit to this area in 1938, was told by Pádraig Ó Sírín of Carrowtigue that in his ' grandfather's time, men fishing off the coast here for cod and ling took up a little child in the net. They let it go again as they didn't like to take it into the boat.' (From Card Index in the Department of Irish Folklore, University College, Dublin, *sub Dúile Uisce*). Other examples of the stories contained in Texts 17 and 18 may be found in IFC Ms. Vol. 782: 126-7 (from Kerry), IFC Ms. Vol. 140: 371-2 (from Donegal [Teelin]), IFC Sms. Vol. 1122: 40-1 (from Donegal [Inishowen]) and IFC Ms. Vol. 107: 208 (from Wexford). T. J. Westropp in ' A Study of Folklore on the Coasts of Connacht, Ireland,' *Folk-Lore* 32 (1921) recounts how fishermen off Portacloy once pulled up from the sea ' a green fishy looking child ' (p. 114). A Galway version is printed in *O'Sullivan* (1966), No. 33, The Child from the Sea, p. 188, Notes p. 275). For examples and a discussion of stories of this type in Scandinavia cf. No. 412, Sjörå dras upp vid fiske, and No. 412A, Pojke eller barn infångas (''Håvålen ''), in *Liungman* 2, 98-110.

For spectral islands and similar apparitions at sea, cf. T. J. Westropp, ' Brasil and the legendary islands of the North Atlantic ' in the *Proceedings of the Royal Irish Academy*, Section 30 C (1912), 223-60. *LL*, 160-3, contains accounts from *Dú Caocháin* of such like phenomena off the Mayo coast. Under the heading ' Atlantis ' in IFC Ms. Vol. 1395: 373-86, Michael Corduff of Rossport, Co. Mayo also describes material of this kind from Erris. Cf. also *Leabhar Sheáin Í Chonaill* (430) ' Tíortha fén bhFaraige.'

These two stories (Texts 17 and 18) were told in that order, one following immediately on the other and recorded at the home of Thomas Connolly, Stonefield on 16/5/1976. Duration (Text 18): 2′ 00″. Tape 48/2 SÓC (9.5 cms.p.s.).

19.

NA CURAIGH SÍ

Ach an oíche seo bhí siad ag gabháil amach i bPort an Chlóidh ar ghnoithe iascaireacht murlas[1]—ba shin é an tslí bheatha a bhí an uair sin thart anseo, ar ndóiche, le cladach . . . gnoithe murlas—ní raibh aon mheoin eile ann ar[2] thalamh an domhain ach an méid a bhaineadh siad, airgid a bhaineadh siad amach as gnoithe iascaireacht.

Ach an oíche seo, bhí an fhoireann seo thíos agus—i bPort an Chlóidh—bhí siad ag caint ar ghabháil amach agus bhí go leor daoine ag caint ar ghabháil amach ach bhí an oíche séite. Tháinig gach uile fhear abhaile ach foireann amháin as Port an Chlóidh—bhail, bhí cupla fear as Cill Ghallagáin leofa agus bhí fear amháin ann a dtugadh siad ' an fear santach ' air. Bhí sé an-santach, an duine bocht, ag gnoithe murlas agus iascaireacht. Bhí *family* mór páistí le tógáil aige féin agus ag a bhean agus ní raibh meoin ar bith ar thalamh an domhain aige ach gnoithe éisc. Ní raibh talamh aige le cur a dhéanamh air ná dada eile. Sé an méid a bhí aige an portach móna a bhí le baint aige.

Ach an oíche seo, leis an scéal a ghiortú, bhí siad thíos ar thrá Phort an Chlóidh, réitithe le ghabháil amach, ach bhí an oíche cruaidh agus séite agus an fharraige ag caitheamh caipíní amuigh daoithi agus droch-chuma uirthi. Ach tháinig gach uile fhear abhaile ach an fhoireann seo. Ach bhí ' an fear santach ' i gcónaí ag caint ar a ghabháil amach agus ní ligfeadh sé abhaile an fhoireann a bhí leis. Ach ar a dheireadh thiar, dúirt sé:

' Tá sé chomh réidh dúinn,' a dúirt sé, ' an curach a leagan síos agus ár gcuid eangacha a réiteach agus a fhéachaint amach. *Hap o' the venture*,'[3] a deir sé, ' gabhfaidh muid amach cé bith chaoi a dtiocfaidh muid isteach.'

Ach d'imigh siad ar mhodh ar bith amach, chuir amach iomramh, d'imigh leofa soir agus chuaigh siad soir go dtí áit a dtugann siad Poll na Spince air. B'shin thimpeall is dhá mhíle maith amach ón trá.

Ach bhí fear amháin ins an gcurach, an fear tosaigh agus bhí sé ag ráit i gcónaí go raibh sé, go mb'fhearr an baile a bhaint amach, go raibh sé ró-chruaidh.

' Á,' a dúirt " an fear santach "—ba é a bhí chun deiridh, thiar i gceann na n-eangach—a deir sé, ' bíodh ciall agat,' a dúirt sé, déarfá gurab é an chaoi a n-íosfaidhear thú,' a dúirt sé, ' nach bhfuil muide inár scéala chomh mór leat! '

Ach bhí siad ar an gcaoi sin ag scansaíocht chainte le chéile agus ag sárú ar a chéile. Ach ar a dheireadh thiar, chonaic siad an curach seo ag déanamh orthu anoir mar a thiocfadh sí anoir ó Scoth na Muice agus bhí sé séite.

' Anois,' a dúirt fear den mhuintir a bhí sa gcurach, ' sin páirtí atá ag gabháil abhaile. Tá sé cruaidh. B'fhearr dúinne muid féin ár gcuid eangacha a bhordadh[4] agus an baile a bhaint amach.'

' Á, bhail,' a dúirt " an fear santach " ' bíodh ciall agat. Go dtugaí Dia ciall duit,' a dúirt " an fear santach "—' nach ndéarfá gurab é an chaoi go bhfuiltear ag gabháil do d'ithe nó ag gabháil do do chailleadh ar áit na bonn. Glac d'am.'

Ach bhí siad ar an gcaoi sin ach ní raibh an chéad churach i bhfad imithe siar nuair a tháinig an dara curach anoir.

' Anois,' a dúirt an fear eile acu, ' nach bhfuil sé, an bhfeiceann tú gach uile fhear ag gabháil abhaile ach muide, nó cén seort ceoilíní[5] muid ar chor ar bith amuigh anseo! '

' Bíodh ciall agaibh,' a dúirt " an fear santach " ' gabhfaidh muide abhaile chomh maith leofa ar ball.'

Ach tháinig an tríú curach anoir agus bhíthear dá chlúdach le séideadh gaoithe agus séideadh farraige. Ach nuair a chuaigh sí[6] siar thartu[7]—

' Bhail,' dúirt " an fear santach," ' b'fhéidir go bhfuil sé chomh réidh bordadh anois, na heangacha a tharraingt isteach agus muid féachaint leis an trá a dhéanamh.'

' Sé d'am anois é,' a dúirt fear eile, ' tá faitíos orm go bhfuil muid caillte.'

' Ó, níl,' a dúirt " an fear santach," ' le cúnamh Dé. Déanfaidh muid an trá.'

Ach thoisigh siad ag bordadh agus bhí breacadh deas murlais ins na heangacha ach, má bhí féin, tharraing siad isteach sa gcurach iad agus chuir siad amach iomramh agus réitigh leofa ag iarraidh an trá a dhéanamh. Ach bhí siad ag iomramh agus ag síoriomramh anoir ach ag gabháil anoir dófa ag áit a dtugann siad Leac na mBairneach air bhí sé éirithe ina bhod an ghiorta[8] le gaoith agus le stoirm.

Ach rinne siad trá Phort an Chlóidh ar ín ar ea ar éigin⁹ agus le lomsciortaí na gcnámh a rinne siad an trá. Ach nuair a bhuail siad trá, ní fhaca siad fear nó bean istigh. Bhí gach uile dhuine ina chodladh.

' Anois,' a dúirt fear acu, ' cá bhfuil na curaigh a tháinig anoir? '

' Ó tá fhios agam,' a dúirt " an fear santach," ' tá faitíos orm go bhfuil muid meallta, gurab é an chaoi go rabhthar ag iarraidh ár mealladh. Ach ina dhiaidh sin, tá an gnóthachan déanta againn.'

Ach is minic ariamh a mhoithigh mé, ' an fear santach ' a bhí ag caint, nuair a rugadh é fad ó shin—bhí aois mhaith aige an uair sin—nuair a rugadh é, ina pháiste, bhí caipín sonais ar a chloigeann. Agus deir siad an páiste a mbeidh caipín sonais air nach mbáifidhear é agus nach ngabhfaidhear é fhad is bheas sé beo.

Ba curaigh sí a tháinig anoir ag iarraidh a dtabhairt abhaile, ar ndóiche. Taispeánadh¹⁰ a bhí ann. Ach chomh beag an fear a raibh an caipín sonais air, bhí siad cáite. Ní thiocfadh aon fhear go brách—bhí a gcuid cosa nite—ní thiocfadh éinne acu abhaile a choíche.

Shin é anois.

19.

THE FAIRY CURRACHS

Well, this night, they were going out fishing for mackerel in Portacloy—that was the livelihood round the coast here, of course . . . mackerel—they had no other means in the world except whatever money they might make from fishing.

This night, anyway, this crew was down in Portacloy and they were talking about going out, but the night was stormy. All went home except one crew from Portacloy—well, there were a couple of Kilgalligan men in the crew and there was one man there they used to call ' the greedy fellow '. The poor fellow, he was always over-eager for mackerel and for fishing. He had a big family to raise, he and his wife, and fish was the only means he had in the world. He had no ground to sow or anything. All he had was the turf bog for cutting turf.

Anyway, to shorten the story, this night they were down on the beach at Portacloy, but it was a hard night and a stormy one and the sea was foam-crested all out along and it looked very bad. Everyone went home except this crew. ' The greedy fellow ' was still talking about going out and he wouldn't let his crew go home. Finally he said:

' We might as well bring down the currach and put the nets in order and try to head out. Hap o' the venture,' says he, ' we'll go out, regardless of how we come in again.'

So they went out anyway, got their oars out and rowed off, and they went east to a place they call *Poll na Spince*. That's easily two miles out from the beach.

There was one man in the currach, the man at the stern, and he kept saying that it was, that it would be better to make for home, that conditions were too severe.

' Oh,' said " the greedy fellow "—he was back at the stern attending to the nets—' have sense,' said he, ' you would think you were going to be devoured,' said he, ' aren't we just as important as you ! '

There they were then, squabbling and contradicting one another. At long last they saw a currach heading over towards them, over from the direction of *Scoth na Muice*, and it was blowing hard.

' Now,' said one of the men in the currach, ' there's a crowd going home. It's tough. We'd be better to board our nets and head for home.'

' Oh, talk sense,' said " the greedy fellow ", ' God give you sense—you would think you were about to be gobbled up or lose your life on the spot. Take your time.'

So that's the way they were and the first currach wasn't long gone when the next one came back that way.

' Now,' said one of them, ' isn't it, do you see everyone going home, except us; what sort of fools are we to be out here at all ! '

' Have sense,' said " the greedy fellow ", ' we'll go home too in a little while.

So the third currach appeared and it was smothered in wind and the sea blowing over it. When it passed by—

' Well,' said " the greedy fellow ", ' it might be as well to board the nets now and try to make for the shore.'

' About time too,' said the other man, ' I'm afraid we're done for.'

' Oh, not at all,' said " the greedy fellow ", ' with God's help we'll make the beach.'

So they started boarding and though there was a fine haul of mackerel in the nets, they pulled them into the boat, put out their oars and got ready to make for the beach. And they rowed and rowed all the way back and as they were coming in by a place they call *Leac na mBairneach* it was a regular whirlwind of a storm.

Well, they only just made Portacloy beach, just by the skin of their teeth and when they landed there they saw nobody there, neither male nor female. Everyone was asleep.

' Now where are the currachs that went back in? ' said one of the men.

' Oh, I know,' said " the greedy fellow ", ' I'm afraid that we have been deceived, that that's the way it was—an attempt to deceive us. But, still, we have made the gain.'

I have often heard of that 'greedy fellow' that was doing the talking and who was well on in years at that time, that he was born, an infant, with a caul on his head. And they say that the child that has a caul will never be drowned or captured as long as he lives.

Those were fairy currachs that came back that way, trying to get them to go home, of course. It was a supernatural manifestation. Only for the man with the caul they were done for. Not one of them would ever have returned—it would have been all up with them. That's it now.

1. Within Erris, the use of ' more typically Donegal words ' in *Dú Caocháin* has been adverted to in *Mhac an Fhailigh*, p. xii; *ronnach* (the normal West Connacht word for ' mackerel ') is sometimes mentioned in *Dú Caocháin* as being a word used by the Irish speakers of *An Tír Thiar* (*q.v.* Note 2, Text 6, p. 18). Cf. also *LL* Note 31, p. 284.
2. More commonly *ó;* repeated below.
3. I am grateful to Professor Alan Bliss for the suggestion that ' *hap* of the venture ' may be what John says here and that ' " [to the] success of the expedition "—a kind of toast—where " hap " has the meaning of " good fortune " or " success," a meaning " common in older English and the dialects " ' is what is meant by this saying.
4. A first conjugation verb. Cf. *Hamilton II*, 202.
5. Cf. *Mhac an Fhailigh* § 156.

6. Note feminine pronoun in reference to the masculine noun *curach*. Cf. *Hamilton II*, 202 and Text 11, p. 153 where the masculine pronoun *é* is used in reference to *bád*.

7. Cf. *Mhac an Fhailigh* § 571.

8. Cf. Note 6, Text 17, p. 53.

9. Professor Tomás de Bhaldraithe informs me that he has collected no less than seventeen renderings of this phrase or elements of it. Its origin is unclear.

10. Cf. Note 3, Text 11, p. 37.

The sighting of otherworld boats and currachs is a phenomenon frequently commented upon all around our coasts. Such sightings are often taken to be a sign of impending storms and a timely warning to fishermen to make for shore. For examples of stories about fairy boats and currachs cf. *SS* Nos. 103 (p. 248-9) and 134 (p. 334-5) and Notes p. 285; the following volumes of *Béaloideas*: 8 (1938), 65-6; 23 (1954), 169-70; 29 (1961), 122-3; 33 (1965), 32-3 and Notes p. 95; *LL* (149-52); *Browne* (632).

The caipín sonais, 'lucky cap' or caul, was also widely believed to protect against drowning not only the individual born with a caul but also anyone in physical possession of a caul. Cf. Wm. Carleton, *Traits and Stories of the Irish Peasantry* 2, eleventh edition (London n.d.), 32; *Béaloideas* 6 (1936), 4-13; *Béaloideas* 10 (1940), 124.

Other recordings of stories concerning fairy boats and currachs can be found on Tapes 1/2 SÓC (no date), 49/1 SÓC (16/5/1976) and 58/2 SÓC (14/4/1977), while information on cauls can be found on Tape 79/2 (13/5/1978).

This recording was made at my house in Stonefield on 31/3/1981. Duration: 5′ 23″. Tape 132 SÓC (19 cms.p.s.).

20.

NA RÓNTA

Tá na rónta, ar ndóiche, tá sé comhairthe ariamh go bhfuil na rónta faoi gheasa agus go bhfuil treibh mhór, nádúr an duine iontu. Shin é anois. Agus deir siad, más fíor, níl fhios againn ar fíor bréag é, gur Cloinneadh Conólaigh, mar a dúirt an fear eile, gnoithe na rónta. Shin é an chaoi a bhfuil sé anois.

20.

THE SEALS

The seals, of course, were always considered to be under a spell and to have the breed and nature of the human in them. That's it now. And it seems, whether it be true or false, that the seal business, as the man said, has to do with the Connollys. That's the way it is now.

The Conamara Conneelys, the Sugrues in Kerry, the *Cathánaigh* (Keanes) of the Mullet Peninsula in Mayo and the McCodrums of Scotland are also said to be connected with the seals—cf. *Béaloideas* 9 (1939), 135-7 for these and also the names of families traditionally associated with other animals.

David Thomson's *People of the Sea* (London 1965) contains a wide selection of lore and legends about the seals in Irish and Scottish tradition, including material from Erris.

To the references given by Séamus Ó Duilearga in *Leabhar Sheáin Í Chonaill*, 438, *sub* Róinte, and in *Béaloideas* 33 (1965) 95 (*re* Nos. 151 and 152) and to the references in *SS*, 384 (*re* No. 91), add the following: *Otway*, 229; Mr. and Mrs. S. C. Hall, *Ireland: Its Scenery and Character*, 3, (London 1843), 408-14; *Browne*, 631; the following numbers of *Béaloideas*: 5 (1935), 135; 8 (1938), 71; 11 (1941), 74; 16 (1946), 243; *O'Sullivan* (1974), 116-23. See also No. 4080 in *Christiansen*, 75.

Other accounts and legends of the seals can be found on Tapes 1/2 SÓC (no date), 11/2 SÓC (31/12/1974), 13/2 SÓC (31/12/1974), 21/1 SÓC (18/9/1973), 31/1 SÓC (-/3/1975), 44/1 SÓC (17/3/1976) and 110/1 SÓC (1/4/1980).

The accounts and stories contained in Texts 20, 21 and 22 were recited in the order they are given in here and recorded at my house in Stonefield on 30/3/1981. Duration: 0′ 20″ (Text 20), 4′ 11″ (Text 21) and 1′ 33″ (Text 22). Tape 132 SÓC (19 cms.p.s.).

21.

' CÉ MHARAIGH ANNA? CÉ MHARAIGH ANNA? '

Bhí caint ag gach uile sheort fad ó shin. Mhoithigh tú caint ar an lá a chuaigh siad soir chun an Phoill Bhradaigh fad ó shin ag marú na rónta, ar mhoithigh tú caint air sin? Chuaigh siad soir, réitigh foireann amach as Baile na Cille ag marú rónta. An uair sin, ar ndóiche, bhí siad santach ag baint ola as rónta le haghaidh leighis. Tá leigheas mór i ngnoithe[1] ola róin, an dtuigeann tú; na cnámhóga[2] a thugadh siad air—ba shin é an fheoil a bhíodh rósta agus an ola bainte as—d'itheadh siad é sin. Tá feoil dhubh ar an rón leis an gcnáimh chomh maith le mairteoil ach go bhfuil boladh fiáin air.

Ach an lá seo, réitigh siad amach, ceathrar fear, agus bhí fear amháin leofa, cáiteoir a bhí ann, ar ndóiche, le haghaidh gnoithe rónta. Bhíodh maide mór leis i gcónaí le haghaidh spealadh ar na rónta—píosa de mhaide darach—agus níl aon rón dá dtigeadh sé suas leis nach gcáithfeadh sé é. Ach an lá seo, réitigh siad amach thiar ag na Fothanta Dubha, d'imigh leofa soir agus níor stop go ndeacha go Cladach an Phoill Bhradaigh agus bhí cnap rónta istigh ansin—lá breá gréine—sínte istigh ansin ag déanamh bolg le gréin.

Ach níor airigh siad, na rónta bochta, ariamh go dtáinig an curach isteach agus gur bhuail sé isteach ar an - cineál cladach a bhí ann, ní gaineamh a bhí ann ach cineál cladach méarógach mín. Ach léim an fear seo amach a dtugadh siad Eoghan Rua air—b'éard a bhí ann smaladóir le gnoithe rónta. Léim beirt eile amach ina dhiaidh agus thoisigh siad ag treascairt agus ag marú rónta go ndearna siad dídóith ar an méid a bhí ann de rónta.

Ach bhí rón amháin thuas, rón breac, agus fuair sé snoíospairt mhór air, an duine bocht. Thug siad dúnmharú dó ach ní raibh sé marbh amach is amach. Ach nuair a bhí an méid sin déanta acu— ' Anois,' a dúirt fear acu, ' tá sé chomh maith dúinn a bheith ag gabháil abhaile, tá díol an lae linn ar mhodh ar bith.'

Agus an uair sin, thimpeall is cúig nó sé de rónta nó seacht gcinn a mhéad a bheadh siad in ann a chur sa gcurach—bhí na rónta sin trom, tá fhios agat. Ach nuair a bhí an curach, na sé nó seacht de rónta istigh sa gcurach acu mheas siad go raibh a sáith. Ach tháinig siad amach giotín beag ón gcladach agus níorbh fhada dófa go bhfaca siad an rón mór seo ag déanamh isteach de bhanc an éisc in éis oíche a bheith caite amuigh ag an duine bocht ag soláthar. Ach nuair a bhreathnaigh sé isteach—

Á, bhail,' a dúirt sé, ' Dia dílis dá réiteach,' a deir sé, ' cén seort slad é sin istigh ar chor ar bith ar an gcladach? Nó cé a mharaigh Anna,' a dúirt sé, ' agus cé mharaigh Anna?'

Bhí an seanrón seo thuas ar an gcladach dá únfairt féin agus é i ndeireadh na dé.

' Á, maise,' a dúirt an seanrón a bhí ar an gcladach, an duine bocht, ' nach bhfuil fhios agat go maith cé mharaigh Anna— an fear i gcónaí, an fear i gcónaí.'

' Á, maise,' a dúirt an rón a bhí amach ón gcladach giota agus é ag snámhán thart, ' múchadh agus báthadh air,' a dúirt sé, ' agus nár ba fada go raibh a chosa nite.'

Ach nuair a mhoithigh an mhuintir a bhí sa gcurach an chaint sin, thug siad don iomramh ag iarraidh an trá a dhéanamh. Ach níl ann ach go raibh siad ar an gcladach nuair a bhí sé ina thrí tonn. D'éirigh an fharraige mhór ins an spéir. Bhí sí ag caitheamh caipíní daoithi a bhí ag gabháil deich dtroithe fichead ins an spéir. D'éirigh cuma aduain ar an taobh aduaidh agus d'éirigh an fharraige corrach ar gach uile bhealach.

Ach bhí go maith agus ní raibh go dona, tháinig Eoghan Rua abhaile. Ach bhuail *slack* tinnis Eoghan Rua, an duine bocht. Luigh sé ar an leaba; níor fhága sé sin ná go bhfuair sé bás. Ach ón lá sin amach, cuireadh deireadh le gnoithe mharú na rónta.

Sin é anois.

21.

'WHO KILLED ANNA? WHO KILLED ANNA?'

Long ago everything had the power of speech. You heard tell of the day long ago that they went over to *An Poll Bradach* to kill seals, didn't you? They went over, a crew from Kilgalligan got ready to go out killing seals. At that time, they were greedy, of course, for the oil which they got from the seals for cures. Seal oil has a cure in it, you see; they call it ' the remnants '—that's the meat when it is roasted and the oil extracted from it—they used to eat that. There is lean meat on the seal, close to the bone, as good as any beef except it has a terrible smell.

Anyway, this day, four men got ready to go out and one of them was really deadly when it came to killing seals. He always had a big cudgel with him for hacking at the seals—a piece of oak—and there wasn't a seal that he met up with that he didn't finish off. So this day they got ready to head out from *Na Fothanta Dubha* and they didn't halt till they reached *Cladach an Phoill Bhradaigh* and there was a pile of seals in there, stretched out sunning themselves that fine sunny day. Before the poor seals knew, the currach ran up on the shore—it wasn't sand, but a sort of fine pebble beach. So, this man they called Eoghan Rua jumped out and he was nothing short of wild about killing seals. Two more jumped out after him and they started felling and killing the seals, leaving what was there of them in a sorry state.

There was one seal, a speckled seal, up there and he hewed savagely at it, the poor man. They all but murdered him and when they had that done—

' Now,' said one of them, ' we might as well head for home, we have enough with us for today anyway.'

About five or six, or at most seven seals was all they could carry in a currach then—those seals were heavy, you know. By the time they had six or seven seals in the currach they judged they had enough. They came out from the shore a bit and not long after that, they saw this big seal heading in from the fishing bank where the poor man had spent the night gathering supplies. When he looked in—

' Oh, well,' said he, ' dear God, what kind of devastation can that be in there on the shore! Who killed Anna?' said he, ' who killed Anna?'

This old seal was up on the shore, rolling about and with his last gasp, he says:

' Oh, indeed, wouldn't you know who killed Anna—the human, always the human!'

' Well,' said the seal that was swimming around a little bit out from the shore, ' may he smother and drown and not live long,' said he.

When the people in the currach heard that they laid into rowing for the shore and they had barely reached it when the breakers appeared. The sea rose up into the sky and was throwing foam-crested waves thirty feet in the air. The northern horizon took on an eerie appearance and the sea became very unsettled in every way.

Well and good. Eoghan Rua came home and he fell ill, the poor fellow. He took to his bed and he never left it till he died. So that finished the business of slaughtering seals from that day on.

That's it now.

1. The *g* of *gnoithe* does not appear to be nasalized, as one would expect. Cp. /tarəgir'exd/ for *tarrngaireacht* (= *ng* > *g*) in *Mhac an Fhailigh* § 444 (iii).

2. *Stockman* (366) gives this word in the meaning ' remnants, dregs of tea-pot etc.'

See p. 63 for notes on the folklore context of this story.

Recording session at author's house in Stonefield with (left to right) Bo Almqvist, John Henry and Peadar Bairéad

22.

'A EOGHAIN RUAIDH, NÁ BUAIL, NÁ BUAIL!'

Bhail, bhí dream eile i bPort an Chlóidh chomh maith fad ó shin. Bhí siad féin santach ag marú rónta, ar ndóiche, le haghaidh na hoibre céanna ag leaghadh na feola is ag baint ola aisti agus ag ithe na gcnámhóg, cnámhóga a thugadh siad ar an bhfeoil a bhí fágtha. Ba shin é mórán an tslí bheatha a bhí le fáil thart le cladach an uair sin.

Ach bhí an fear seo a dtugadh siad Eoghan Rua air féin, Eoghan Rua anois, ní hé Eoghan Rua a bhí sa bPoll Bradach é. Ach d'éirigh siad amach an lá seo agus bhí Eoghan Rua leofa. Chaith sé píosa maith dá shaol i Meiriceá agus bhí cineál crúcáil Bhéarla aige agus chomh maith, ní raibh tabhairt isteach ann, i gnoithe[1] teagasc Dé ar chor ar bith—ba cineál fear[2] dó féin é.

Ach an lá seo, tháinig siad anoir go Fothair an Dúna agus ar an gcladach ansin, cineál cladach atá isteach ó Fhothair an Dúna, ach bhí rónta istigh. D'éirigh Eoghan Rua Phort an Chlóidh amach agus a mhaide leis agus fear eile a bhí leis agus thoisigh siad ag treascairt, ag marú. Ach bhí an rón mór seo thuas in íochtar an chladaigh agus nuair a tharraing Eoghan an buille ar an rón:

'Á, bhó,' a deir an rón, 'a Eoghain Ruaidh,' a dúirt sé, 'ná buail, ná buail!'

Ach bhuail Eoghan Rua ina dhiaidh sin an buille ar an rón agus mharaigh sé é. Ach tháinig Eoghan Rua abhaile agus chuaigh sé a chodladh. Níor éirigh sé go bhfuair sé bás.

Sin é anois an chaoi ar mhoithigh mise é.

22.

'DON'T STRIKE, *EOGHAN RUA*, DON'T STRIKE!'

Well, long ago, there was another crowd in Portacloy as well. They too were very enthusiastic about killing seals, of course, for the very same end—rendering the flesh for its oil and eating the 'remnants,' which is what they called the meat that was left over.

That was, by and large, the kind of living that was to be had along the coast in those days.

There was this man they used to call *Eoghan Rua*—another *Eoghan Rua* now, not the one that was in *An Poll Bradach*. So they set out this day and they had *Eoghan Rua* with them. He had spent a good part of his life in America and he had a middling grasp of English and on top of that, he didn't give in to God's teaching at all—he was a sort of loner.

Anyway, this day, they came back by *Fothair an Dúna* and in on the kind of shore that's there, they found seals. *Eoghan Rua* from Portacloy got out with his cudgel, himself and another man, and they started felling and killing. There was this big seal up on the shore and when *Eoghan Rua* aimed a blow at it, the seal spoke and says he:

' Oh, oh, don't strike, *Eoghan Rua*, don't strike! '

Still, *Eoghan Rua* struck a blow at the seal and killed it. When he came home he went to bed and he never rose till he died.

That's the way I heard it now.

1. This is unclear, but cf. Note 1, Text 21, p. 67.
2. Cf. Note 1, Text 11, p. 20. Another example of *cineál* followed by the nominative case occurs in the next sentence.

See p. 63 for notes on the folklore context of this story.

INDEX OF TALE TYPES*

Type No.
503   The Gifts of the Little People: 10.
1889H   Submarine Otherworld; 17, 18, (not properly folktales but migratory legends).

INDEX OF MIGRATORY LEGENDS

Migratory legend (ML) type numbers are from *Briggs* and *Christiansen*.

Type No.
6000.   Tricking the Fairy Suitor: 6.
Cp. also ML 3035, The Daughter of the Witch (16); ML 4080 The Seal Woman (20, 21, 22); ML 5006* The Ride with the Fairies (11); ML 5085 The Changeling (4).

INDEX OF MOTIFS

Motifs are from Stith Thompson's *Motif-Index of Folk-Literature* (6 vols.: Bloomington, Indiana 1955-1958). For further references see T. P. Cross, *Motif-Index of Early Irish Literature* (Bloomington, Indiana n.d.).

A. MYTHOLOGICAL MOTIFS
A1002.   Doomsday: 14.
A1128.   Regulation of winds: 16.
A1710.   Creation of animals through transformation: 4.
A2411.1.6.4. Color of cow: 8.

B. ANIMALS
B81.0.2.   Woman from water world: 18, 19.
B184.2.1.   Magic cow: 9, 12.
B184.2.1.1. Magic cow gives extraordinary milk: 9.
B211.2.7.1. Speaking seal: 21, 22.
B531.2.   Unusual milking animal: 9.
B631.2.   Human beings descended from seals: 20.

C. TABU
C920.   Death for breaking tabu: 21, 22.

D. MAGIC

DO.	Transformation (general): 2, 4, 5.
D5.	Enchanted person: 6.
D100.	Transformation: man to animal: 4.
D142.	Transformation: man to cat: 4.
D216.	Transformation: man to log: 7.
D400.	Other transformations: 7.
D700.	Disenchantment: 6.
D721.4.	Disenchantment by holding temporarily disenchanted person: 11.
D830.	Magic object acquired by trickery: 6.
D905.	Magic storm: 16.
D906.	Magic wind: 16.
D908.	Magic darkness: 16.
D931.1.	Magic coal: 7.
D1018.	Magic milk of animal: 9.
D1040.	Magic drink: 6.
D1083.	Magic knife: 6.
D1123.	Magic ship: 13.
D1242.1.1.	Holy water as magic object: 6.
D1273.	Magic formula (charm): 16.
D1380.	Magic object protects: 7.
D1380.6.	Magic coal protects: 7.
D1385.	Magic object protects from evil spirits: 6.
D1402.0.2.2.	Magic spell causes person to be drowned: 16.
D1402.13.3.	Charm used to kill: 16.
D1501.	Magic object assists woman in childbearing: 3.
D1501.2.	Charms make childbirth easy: 3.
D1533.1.1.	Magic land and water ship: 13.
D1541.0.1.	Charms control storms: 16.
D1810.0.5.	Magic knowledge of witches: 16.
D1841.6.	Immunity from drowning: 19.
D2301.	Magic illusion: 13.
D2061.	Magic murder: 16.
D2064.	Magic sickness: 21, 22.
D2070.	Bewitching: 6, 20, 21, 22.
D2098.	Ship magically sunk: 16.
D2141	Storm produced by magic: 16.
D2142.	Winds controlled by magic: 16.
D2142.0.1.	Magician (witch) controls winds: 16.
D2142.1.	Wind produced by magic: 16.
D2142.1.4.	Wind raised by troubling vessel of water: 16.
D2146.	Magic control of day and night: 16.
D2146.2.2.	Night produced by magic: 16.
D2151.1.	Magic control of seas: 16.
D2151.3.	Magic control of waves: 16.

K. DECEPTIONS
K532.1.	Excape in mist of invisibility: 7.
K958.	Murder by drowning: 16.
K1700.	Deception through bluffing: 6.
K1870.	Illusions: 13.
K1886.	Illusions in landscape: 13.

M. ORDAINING THE FUTURE
M300.	Prophecies: 13.
M301.2.	Old woman as prophet: 13.
M369.	Miscellaneous prophecies: 13.
M391.	Fulfilment of prophecy: 13.
M451.2.	Death by drowning: 16.

N. CHANCE AND FATE
N511.	Treasure in ground: 11.
N511.1.10.	Treasure buried under flower: 11.
N538.	Treasure pointed out by supernatural creature (fairy, etc.): 11.
N815.	Fairy as helper: 3, 19.
N820.	Human helpers: 3.

Q. REWARDS AND PUNISHMENTS
Q428.	Punishment: drowning: 16.
Q467.	Punishment by drowning: 16.
Q552.19.	Miraculous drowning as punishment: 16.
Q556.	Curse as punishment: 16.

R. CAPTIVES AND FUGITIVES
R10.	Abduction: 1, 4, 5, 6.
R10.3.	Children abducted: 4, 5, 7.

S. UNNATURAL CRUELTY
S131.	Murder by drowning: 16.

T. SEX
T579.	Pregnancy—miscellaneous motifs: 3.
T583.	Accompaniments of childbirth: 3.
T584.0.1.	Childbirth assisted by magic: 3.

V. RELIGION
V12.9.	Libations: 6.
V132.	Holy water: 7.
V230.	Angels: 2.
V230.1.	Man beholds angels: 2.
V231.3.	Angel with four wings: 2.
V236.1.	Fallen angels become fairies: 2.
V249.	Angels—miscellaneous motifs: 2.

* The numbers after the tale types, legend types and motifs are the numbers of the stories in this collection.

BIBLIOGRAPHY

BÉALOIDEAS, *The Journal of the Folklore of Ireland Society*, 1 ff. (1927 ff.).

BRIGGS, Katharine M., *A Dictionary of British Folk-Tales*, 1-4 (London 1970-1).

BROWNE, Charles R., ' Ethnography of the Mullet, Inishkea Islands and Porta-cloy, County Mayo,' *Proceedings of the Royal Irish Academy*, 3rd Series, Vol. 3, No. 4 (1895), 587-649 (= *Browne*).

CHRISTIANSEN, Reidar Th., *The Migratory Legends* (FF Communications 175 [Helsinki 1958]) = *Christiansen*.

CURTIN, Jeremiah, *Tales of the Fairies and of the Ghost World* (London 1895) = *Curtin*.

DE BÚRCA, Seán, *The Irish of Tourmakeady, Co. Mayo* (Dublin 1970).

DINNEEN, Patrick S., *Foclóir Gaedhilge agus Béarla* (Dublin 1927).

HAMILTON, John N., ' Phonetic Texts of the Irish of North Mayo,' *Zeitschrift für celtische Philologie*, 30 (1967), 265-353 = *Hamilton I*.

— ' Phonetic Texts of the Irish of North Mayo, Part Two,' *ZCP* 31 (1970), 147-223 = *Hamilton II*.

— *The Irish of Tory Island* (Studies in Irish Language and Literature, Department of Celtic, Q.U.B., 3, [Belfast 1974]).

LIUNGMAN, Waldemar, *Sveriges Sägner i Ord och Bild*, 1-6 (Stockholm etc. 1957-65).

MHAC AN FHAILIGH, Éamonn, *The Irish of Erris* (Dublin 1968) = *Mhac an Fhailigh*.

Ó CATHÁIN, Séamas and O'FLANAGAN, Patrick, *The Living Landscape, Kilgalligan, Erris, County Mayo* (Folklore Studies 1 [Dublin 1975]) = *LL*.

Ó DOMHNAILL, Niall, *Foclóir Gaeilge-Béarla* (Baile Átha Cliath 1977).

Ó DUILEARGA, Séamus, *Leabhar Sheáin Í Chonaill* (Baile Átha Cliath 1948).

Ó hEOCHAIDH, Seán, NÍ NÉILL, Máire and Ó CATHÁIN, Séamas, *Síscéalta ó Thír Chonaill/Fairy Legends from Donegal* (Folklore Studies 4 [Dublin 1977]) = *SS*.

Ó SÚILLEABHÁIN, Seán, *A Handbook of Irish Folklore* (Dublin 1942).

— and CHRISTIANSEN, Reidar Th., *The Types of the Irish Folktale* (FF Communications 188 [Helsinki 1967]).

O'SULLIVAN, Seán, *Folktales of Ireland* (London 1966).

— *The Folklore of Ireland* (London 1974).

— *Legends from Ireland* (London 1977).

O(TWAY), C(æsar), *Sketches in Erris and Tyrawley* (Dublin 1841) = *Otway*.

STOCKMAN, Gerard, *The Irish of Achill* (Studies in Irish Language and Literature, Department of Celtic, Q.U.B., 2 [Belfast 1974] = *Stockman*.

THOMPSON, Stith, *The Types of the Folktale* (FF Communications 184 [Helsinki 1961]). Second Revision.

WAGNER, Heinrich, *Linguistic Atlas and Survey of Irish Dialects*, 3 (Dublin 1966), Point 57, Portacloy, 297-309 = *Wagner*.

— *Gaeilge Theilinn* (Dublin 1959) = *Wagner* [G.Th.].